Wie bitte?

A beginners' course in German on BBC Television

**Book 3
Programmes 21 - 30**

Language teaching adviser
ANTONY PECK

Drama scriptwriter
MILO SPERBER

Producer
DAVID HARGREAVES

Programmes first broadcast on BBC 1, on
Sundays at 10.00 a.m. beginning 19 April 1970.
Repeated the following Saturday at 10.30 a.m.

A set of three 12in mono long-playing records to accompany
this series is now available (recommended price
24s 11d each record, including purchase tax).
They can be ordered through booksellers or by sending a
crossed cheque or postal order, for 24s 11d each, plus
postage (1s 10d for one record, 1s 4d each for two or more
records) to BBC Publications, London WIA IAR.

CONTENTS

Cover design and drawings by Hugh Marshall
Cover photographs by Hilde Zemann (above) and Walt Key
© British Broadcasting Corporation 1970
Published by The British Broadcasting Corporation
35 Marylebone High Street, London W1M 4AA
Printed in Great Britain by Billing & Sons Limited
Guildford and London
SBN 563 09366 8

Wie bitte?

The language series **Wie bitte?** consists of thirty television programmes, three booklets and three gramophone records. To make the best use of your time, first watch the television programmes, and then study the dialogues in the booklets, learn the vocabulary and do the exercises, using the records to check your pronunciation. Finally, see the repeat of the television programmes later in the week.

In each programme we're devoting the last five minutes to developing your understanding of German by playing a scene in which the spoken German is more advanced. Everyone can understand more of a language than he can speak. You've got to get used to following the drift of what's said even if you don't know all the words being used. After you've seen the programme once, if you want to look up the essential words from each of these more advanced scenes, you'll find them in a key at the back of this book. Don't look up the words before you see the programme the first time.

How to use this booklet

Master sentences. In the booklets we show you how you can construct sentences. Each programme contains a number of master sentences which are intended to be used for a particular purpose—e.g. asking for information, arranging to meet somebody. The box diagrams divide the master sentences up into columns. Some of the columns contain words which are permanent—i.e. included every time you want to use the sentence for a particular purpose. These words are shown in heavy type. The remaining columns contain words which you can change to make other similar sentences. They're shown in light type.

Exercises: how to use the box diagrams.
1 Make up your own sentences by using the words printed underneath the diagram in the changeable parts of the master sentence.
2 Construct your sentence by selecting one element from each column.
3 It is important to know the meaning of all the words in the box diagrams otherwise you risk speaking nonsense.
4 Speak aloud all the sentences you construct.
5 Once you have seen how each exercise works, try to form both the question and the answer without looking at the master sentences. Use the book for checking what you have said.

21-Einundzwanzig

Giving reasons

SCENE A

        Steinle's room. Steinle and Peter are listening to a record of Anneli singing 'Wie bitte?'. A knock on the door. Steinle goes to open it, finds Brigitte waiting.

Steinle	Ah, Brigitte! Kommen Sie doch herein, bitte. Einen Moment! (Goes to turn off record player)
Brigitte	Warum stellen Sie ab, Herr Doktor?
Steinle	Weil ich Besuch habe.
Brigitte	Mögen Sie den Song nicht?
Steinle	Doch, doch! Anneli hat eine hübsche Stimme, nicht Peter?
Peter	Ja, ja . . .
Brigitte	(Laughing) Sie wissen es! Na, ich bin froh!
Steinle	Sie sind Anneli! Fantastisch! Fantastisch! Und ‚Wie bitte?' ist Ihr Song! Setzen Sie sich doch.
Brigitte	(Sitting down) Danke. Warum sagst du nichts, Peter?
Peter	Weil ich nicht will.
Brigitte	Ach! Das klingt sehr aggressiv. Warum bist du böse?
Steinle	Unsinn, Unsinn! Peter ist nicht böse, und er ist auch nicht aggressiv. Er — nun — er . . .
Brigitte	Peter ist enttäuscht, Herr Doktor.
Steinle	Nein, er ist nicht enttäuscht. Er ist . . .
Brigitte	Peter, warum bist du enttäuscht?
Peter	Weil du mit uns spielst.
Brigitte	Wieso denn? — Na, hör mal!
Steinle	Aber Kinder, Kinder!
Peter	‚Ich studiere Philosophie und Soziologie'. Das hast du gesagt. Nicht wahr?
Brigitte	Das stimmt doch. Ich studiere Philosophie und Soziologie.
Peter	Aber du bist auch Anneli der Popstar, — und das hast du uns nicht gesagt.
Steinle	Muss Brigitte uns alles sagen?
Peter	Warum hat sie Geheimnisse?
Brigitte	Weil Geheimnisse das Leben leicht machen.
Peter	Das verstehe ich nicht.
Steinle	Das ist sehr einfach. Warum verstehen Sie das nicht, Peter?
Peter	Weil ich dumm bin.
Brigitte	Weil du nicht verstehen willst!
Steinle	Aber Kinder, Kinder! Hören Sie, Peter! Wir kennen Brigitte. Brigitte ist Studentin. Sie wohnt Innocentiastrasse 60. Und Anneli? Anneli ist ein Popstar und lebt in einer anderen Welt.
Brigitte	Und diese Welt ist mir nicht sympathisch.
Steinle	Ja, warum nicht?
Brigitte	Weil sie eine kalte, dumme Welt ist.
Peter	Das sagst du — der Popstar Anneli?
Steinle	Das sagt Brigitte.

4

Peter	Und Anneli? Ist dir Anneli sympathisch? (Brigitte shakes her head) Warum nicht?
Brigitte	Weil Anneli auch kalt und dumm ist. Und hart. Und weil sie Karriere machen will.
Peter	Aber du bist Brigitte und Anneli!
Brigitte	Ja — ja. Aber Anneli ist nicht mein Typ!

Words and Phrases

warum stellen Sie ab?	why are you turning it off?
weil ich Besuch habe	because I have a visitor
froh	glad
klingt	sounds
(der) Unsinn	rubbish
warum bist du enttäuscht?	why are you disappointed?
warum hat sie Geheimnisse?	why has she got secrets?
weil Geheimnisse	because secrets
das Leben leicht machen	make life easier
in einer anderen Welt (die)	in a different world
. . . ist mir nicht sympathisch	I don't like . . .
kalt	cold
ist dir . . . sympathisch?	do you like . . .?
Karriere machen	to become a success

SCENE B

A park. Brigitte and Kurt are lying on the grass. Brigitte is reading. Kurt has used his book to cover his face and is apparently asleep.

Brigitte	Kurt! Kurt!
Kurt	Ich schlafe nicht, Brigitte. Ich denke nach.
Brigitte	Wirklich? Über Aristoteles?
Kurt	Über mein Leben. (Brigitte laughs) Warum lachen Sie?
Brigitte	Weil Sie geschlafen haben, Kurt.
Kurt	Das ist nicht wahr.
Brigitte	Warum sehen Sie so ernst aus, Kurt?
Kurt	Weil ich entschieden habe. Ich gebe das Studium auf.
Brigitte	Ich verstehe Sie nicht. Warum wollen Sie nicht mehr studieren?
Kurt	Weil ich nicht intelligent genug bin.
Brigitte	Unsinn! Sie sind intelligent.
Kurt	Danke für das Kompliment.
Brigitte	Warum haben Sie nicht richtig studiert?
Kurt	Weil mich das Studium nicht interessiert hat. Weil ich zu faul gewesen bin.
Brigitte	Warum sind Sie auf die Universität gegangen?
Kurt	Weil mein Vater es bezahlt hat. Mein Vater konnte nicht studieren, weil er kein Geld gehabt hat.
Brigitte	Was ist Ihr Vater?
Kurt	Autohändler. Ich will auch Autos verkaufen — wie mein Vater.
Brigitte	Sie wollen Autos verkaufen?
Kurt	Ja, warum nicht! Autos interessieren mich.
Brigitte	Sie gefallen mir.

Kurt	Ich? Warum?
Brigitte	Weil Sie so schnell gewechselt haben. Erst Student, nun Autohändler. Wunderbar!
Kurt	Ich bin glücklich. Ich bin frei. Kann ich Sie küssen?
Brigitte	Warum wollen Sie mich küssen?
Kurt	Weil Sie so nett gewesen sind. Weil Sie schöne Augen haben. Weil die Sonne scheint. Weil wir allein sind.
Brigitte	Aber Sie lieben mich nicht, Kurt!
Kurt	Das ist wahr. Ich liebe Sie nicht. Kann ich Sie küssen?
Brigitte	Warum fragen Sie?

Words and Phrases

über Aristoteles?	about Aristotle?
über mein Leben	about my life
warum lachen Sie?	why do you laugh?
weil Sie geschlafen haben	because you were asleep
weil ich entschieden habe	because I have decided
ich gebe . . . auf	I'm giving up . . .
intelligent genug	intelligent enough
danke für das Kompliment	thanks for the compliment
weil mich das Studium nicht interessiert hat	because my studies didn't interest me
auf die Universität	to university
was ist Ihr Vater?	what does your father do?
Autohändler (der)	car dealer
Autos interessieren mich	cars interest me
weil Sie . . . gewechselt haben	because you've altered your plans
glücklich	happy
frei	free
küssen	kiss
weil die Sonne scheint	because the sun is shining
Sie lieben mich nicht	you don't love me

EXPLANATIONS

1   The German word for *why* is **warum**. A **warum**-question is usually followed by a sentence starting with **weil** (*because* . . .) Here are some examples in the present tense from Scene A:

Question	Reason
Warum stellen Sie ab?	**Weil** ich Besuch habe.
Why are you turning it off?	Because I have a visitor.
Warum sagst du nichts?	**Weil** ich nicht will.
Why don't you say anything?	Because I don't want to.

Warum bist du böse?
Why are you angry?

Weil ich enttäuscht bin.
Because I am disappointed.

Warum bist du enttäuscht?
Why are you disappointed?

Weil du mit uns spielst.
Because you are playing with us.

Warum verstehen Sie das nicht?
Why don't you understand?

Weil ich dumm bin.
Because I am stupid.

Notice the word order:

In the **weil**-sentence the verb always goes to the end:

Ich **habe** Besuch.	Weil ich Besuch **habe.**
Ich **will** nicht.	Weil ich nicht **will.**
Ich **bin** enttäuscht.	Weil ich enttäuscht **bin.**
Du **spielst** mit uns.	Weil du mit uns **spielst.**
Ich **bin** dumm.	Weil ich dumm **bin.**

2   Here are some examples from Scene B. The reasons are, given in the past tense.

Warum lachen Sie?
Why are you laughing?

Weil Sie geschlafen haben.
Because you were asleep.

Warum sehen Sie so ernst aus?
Why are you looking so serious?

Weil ich entschieden habe.
Because I've decided.

Warum haben Sie nicht studiert?
Why haven't you been studying?

Weil ich zu faul gewesen bin.
Because I've been too lazy.

Warum sind Sie auf die Universität
gegangen?
Why did you go to university?

Weil mein Vater es bezahlt hat.

Because my father paid for it.

Warum wollen Sie mich küssen?
Why do you want to kiss me?

Weil Sie so nett gewesen sind.
Because you've been so nice.

Notice the word order:
When **weil**-sentences are in the past tense the forms of the verbs **haben** and
sein go right to the end. The past participle goes next to them.

Sie **haben** geschlafen.	Weil Sie geschlafen **haben.**
Ich **habe** entschieden.	Weil ich entschieden **habe.**
Ich **bin** zu faul **gewesen.**	Weil ich zu faul **gewesen bin.**
Mein Vater **hat** es bezahlt.	Weil mein Vater es bezahlt **hat.**
Sie **sind** so nett **gewesen.**	Weil Sie so nett **gewesen sind.**

PRACTICE

Exercise

Here are some questions and statements. Choose one of the statements as a possible answer and turn it into a **weil**-sentence. For example:

Warum schreiben Sie nicht?	Weil ich kein Papier habe.
Warum kommen Sie nicht?	Weil ich krank bin.
Warum essen Sie nicht?	Weil ich gegessen habe.

You can check your **weil**-sentences in the key at the back of the book.

QUESTIONS	STATEMENTS
Warum kommen Sie nicht?	Ich habe keine Zeit.
Warum arbeiten Sie nicht?	Ich bin müde.
Warum warten Sie nicht?	Ich habe es eilig.
Warum verreisen Sie nicht?	Ich habe kein Geld.
Warum sind Sie müde?	Ich bin gelaufen.
Warum sind Sie gegangen?	Er ist gekommen.
Warum haben Sie nicht gegessen?	Ich hatte keinen Hunger.
Warum haben Sie nicht geschlafen?	Ich habe gelesen.
Warum sind Sie böse?	Sie haben nicht angerufen.

ANSWERS

Weil . . .

22-Zweiundzwanzig

How to talk about movement towards . . .

SCENE A

A rehearsal for a television show. The floor is mapped out indicating a small hall, living room and bedroom.

Director	Das ist klar, nicht? Das ist der Flur. Sie kommen durch die Tür in den Flur.
Anneli	Durch die Tür`. . . in den Flur. Gut. Und die Tür da?
Director	(Entering living room) Hier kommen Sie ins Wohnzimmer. (Points to door) Und da kommen Sie ins Schlafzimmer.
Anneli	Aha. Und wo ist das Telefon?
Director	Das Telefon ist . . . (Looks at assistant) Wo ist das Telefon?
Assistant	Entschuldigung, Herr Mensing. (Brings the telephone) Wohin stelle ich das Telefon?
Director	Stellen Sie es auf den Tisch, bitte!
Assistant	Jawohl. (Puts telephone on small table)
Director	Schieben Sie doch den Tisch ans Sofa . . . Nein, an die Wand! (Moves table to the wall) Einen Moment mal! Nicht so nah ans Fenster! So! Ja! So! Wollen wir beginnen?
Anneli	Ja, bitte. Einen Moment bitte! (Puts on her coat) Und wohin lege ich die Pakete? (Goes back to hall) Hier in den Flur?
Director	Ja. Gut. Sie legen die Pakete in den Flur.
Anneli	Dann läutet das Telefon, nicht?
Director	Nein.
Anneli	Es läutet nicht? Was geschieht?
Director	Sie ziehen den Mantel aus . . . und . . .
Anneli	Und das Telefon läutet noch immer nicht?
Director	Doch, jetzt läutet es!
Anneli	Also gut. Ich lege die Pakete in den Flur. Ich ziehe den Mantel aus. Dann läutet das Telefon. Und ich gehe ins Zimmer.
Director	Und Sie stolpern über die Pakete!
Anneli	Hm. Na schön! Beginnen wir.

Words and Phrases

durch die Tür	through the door
in den Flur (der)	into the hall
ins Wohnzimmer (das)	into the living room
ins Schlafzimmer (das)	into the bedroom
wohin stelle ich . . .?	where do I put? (in the sense of 'stand')
stellen Sie es auf den Tisch (der)	put it on the table
schieben Sie . . . ans Sofa (das)	push . . . up to the sofa
schieben Sie... an die Wand	push . . . up to the wall
nah ans Fenster (das)	near to the window
wohin lege ich . . .?	where do I put . . .? (in the sense of 'lay')

was geschieht?	what happens?
Sie ziehen den Mantel aus	you take off the coat
ins Zimmer (das)	into the room
stolpern über	stumble over

SCENE B

After being cued, Anneli enters the hall. She puts the parcels on the floor and starts taking off her coat. The telephone rings. Anneli rushes towards the living room and stumbles over the parcels. As she reaches for the phone the ringing stops. She is furious.

Director (Laughs) Ja! Legen Sie Ihre Tasche auf die Couch. Gut, sehr gut.

Anneli Und was mache ich jetzt?

Director Sie gehen ins Schlafzimmer.

Anneli Und der Mantel?

Director Ja, ich weiss nicht . . .

Anneli Ich könnte ihn mitnehmen. So! (Throws it over her shoulder)

Director Drehen Sie einmal den Kopf! Ja, so! Sie gehen ins Schlafzimmer.

(Anneli walks into the bedroom)

Anneli Wohin lege ich den Mantel? Lege ich ihn auf den Stuhl (She does so) oder aufs Bett? (She picks it up and puts it on the bed)

Director Warten Sie! Ja, legen Sie ihn auf den Stuhl! Nein, nein, legen Sie ihn aufs Bett! So ist gut!

Anneli Gut.

Director Sie wollen das Kleid ausziehen . . . Da läutet das Telefon . . . (Rings) Sie laufen ins Wohnzimmer . . . Ja. Richtig. Sie stossen gegen die Couch.

Anneli Au!

Director Und gegen den Tisch.

Anneli Au!

(Anneli reaches for the telephone — the ringing stops suddenly. Anneli goes back to bedroom)

Director Sie machen die Tür zu.

(Anneli slams door with her foot)

Ja, so! Und jetzt kommen Sie in den Flur, Herr Hösslin. Der Einbrecher kommt in den Flur!

(Burglar comes through entrance door into living room. He walks cautiously, looks round, goes straight to the table, picks something up, puts it into his pocket)

Anneli (Opens door a little, calls out) Bist du's, Liebling? Ich bin gleich fertig.

(Burglar stops in his tracks)

Director Herr Hösslin, Sie setzen sich auf die Couch. Oder, nein! Sie setzen sich auf den Stuhl. (Burglar sits down, picks up newspaper and conceals his face. Anneli comes out of the bedroom. She is putting on a dress. The zip is open at the back)

Anneli Liebling, kannst du mir helfen? (Anneli turns her back to the burglar. The burglar does up her zip) Danke, Liebling.

(Anneli turns round to him with closed eyes)

Küss mich auf den Mund.

(Burglar has no alternative — he kisses her. Anneli opens her eyes and screams. Burglar stares at her, petrified. Anneli closes her eyes again, purses her lips)

Words and Phrases

auf die Couch	on the couch
ich könnte ihn mitnehmen	I could take it with me
drehen Sie einmal den Kopf	turn your head
auf den Stuhl	on the chair
aufs Bett	on the bed
das Kleid ausziehen	take off the dress
Sie stossen gegen	you bump against
Sie machen die Tür zu	you close the door
(der) Einbrecher	burglar
Sie setzen sich auf	you sit down on
küss mich	kiss me

EXPLANATIONS

1 When you want to use expressions indicating movement towards something, e.g. to come (or go) into the . . . to put on to/into the . . . to push up to the . . .

the pattern of the German is:

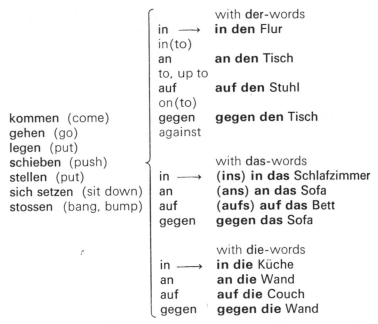

2 When you want to ask *where* to come, go, put, sit down — the word for *where* is **wohin**:

e.g.

Wohin	stelle	ich	das Telefon	**?**
	lege		den Mantel	
			die Pakete	

11

PRACTICE

Exercise 1

Using the illustrations, complete the following sentences.
You can check your answers in the key at the back of the book.

Er geht . . .   (die Schule) → Er geht in die Schule.

1   Er geht . . .   (die Oper)

2   Sie setzt sich . . .   (das Motorrad)

3   Er stellt das Bier . . .   (der Tisch)

4   Sie setzt den Hut . . .   (der Kopf)

5   Er legt die Beine . . .   (der Stuhl)

Er schiebt das Auto . . .   (die Garage)

7   Sie fährt . . .   (der Graben)
                                     (ditch)

Exercise 2

The illustration shows you a partly furnished room. Imagine you are adding some other pieces of furniture. Construct a question/answer dialogue about where to put them.

Question

Wohin	stelle	ich	die Lampe den Stuhl* das Sofa	?

* When a **der**-word is being used with **stellen, legen,** and **schieben der** becomes **den.**

Answer   e.g. **In die Ecke.   An die Wand.   Auf den Tisch.**

Useful vocabulary

for the question:

der Fernsehapparat
das Radio
die Bücher
die Vase
das Telefon
der Papierkorb waste-paper basket
die Schreibmaschine

for the answer:

das Bücherregal bookshelf
das Klavier
das Fenster
der Boden floor
der Schreibtisch desk
der Tisch
die Tür

23-Dreiundzwanzig

How to say 'if...'

SCENE A

Hall — morning. Dr. Steinle is going through the mail.

Steinle Schröder, Schröder, Kranz, Hennings.
(Peter comes down the stairs in a great hurry)

Peter Guten Morgen, Herr Doktor! Post für mich?

Steinle Wenn ich nicht irre, ja! Da ist der Brief.
(Hands him a letter)

Peter Vielen Dank, Herr Doktor! Entschuldigen Sie, ich habe es eilig. Wenn ich nicht laufe, komme ich zu spät ins Büro.

Steinle Na, dann laufen Sie, Peter! Wiedersehen!

Peter Wiedersehen! (Rushes off)

Steinle (Laughs) Der Junge! (Collects his letters and opens one)

Peter (Dashes in again and runs up the stairs) Ich habe etwas vergessen . . . (Brigitte meets Peter on the stairs, lets him pass) Guten Morgen, Brigitte!

Brigitte Was ist denn los?

Steinle Sehen Sie das nicht? Peter hat es eilig.

Brigitte Er hat schon wieder was vergessen! Und wenn er spät ins Büro kommt, schimpft sein Boss.

Steinle (Laughs) Ihre Briefe, Brigitte! (Peter approaches at great speed)

Peter Wiedersehen!

Steinle Nehmen Sie ein Taxi, Peter!

Peter Ja, wenn ich ein Taxi bekomme! (Exits)

Brigitte Er hat es immer eilig!

Steinle Kein Wunder! Wenn er immer so spät aufsteht!

Brigitte Glauben Sie, er kommt pünktlich ins Büro?

Steinle Wenn er Glück hat, ja! Ihre Briefe, bitte!

Brigitte Ach ja, danke Herr Doktor!

Steinle Was ist los, Brigitte?

Brigitte Nichts. Warum fragen Sie?

Steinle Nun — Sie sehen so ernst aus. Wo ist Ihr fröhliches Gesicht? Wenn Sie nicht lächeln, Brigitte . . .

Brigitte (Smiles) Und wie ist das?

Steinle Das ist besser.

Brigitte Heute ist ein schöner Tag. Was machen Sie?

Steinle Nun, also . . . Zuerst mache ich einen Spaziergang. Dann gehe ich ins Café und lese meine Zeitung. Wenn es warm ist, sitze ich draussen. Wenn es kalt ist, sitze ich drinnen. Und wenn ich einen Partner finde, spiele ich Schach. Mein Leben ist sehr, sehr interessant! Spielen Sie auch Schach?

Brigitte Ja, wenn ich Zeit habe. (Sound of telephone) Ist das Ihr Telefon oder meins?

Steinle Ihr Telefon, wenn ich nicht irre.

Brigitte (Runs upstairs) Entschuldigen Sie mich!

Words and Phrases

wenn ich nicht laufe	if I don't run
zu spät	too late
(der) Junge	boy
ich habe etwas vergessen	I've forgotten something
wenn er spät ins Büro kommt	if he comes late to the office
schimpft	grumbles
wenn ich ein Taxi bekomme	if I get a taxi
kein Wunder!	no wonder!
wenn er immer so spät aufsteht	if he always gets up that late
pünktlich	on time
wenn er Glück hat	if he's lucky
Ihr fröhliches Gesicht	your happy face
lächeln	smile
warm	warm
ich spiele Schach	I play chess
wenn ich einen Partner finde	if I find a partner
wenn ich Zeit habe	if I have the time
wenn ich nicht irre	if I am not wrong

SCENE B

Steinle sits in a café. There is a chessboard on the table.

Brigitte Guten Tag, Herr Doktor!

Steinle (Gets up) Also, wenn das kein Zufall ist!

Brigitte (Laughing) Dann ist es kein Zufall!

Steinle Nehmen Sie doch bitte Platz. (They both sit down. Waiter approaches)
Was möchten Sie trinken?

Brigitte Eine heisse Schokolade bitte.

Waiter Sehr wohl.

Brigitte Spielen Sie allein?

Steinle Ja. Ich habe ein Problem. Es ist sehr schwer. Sehen Sie! Wenn ich nach links gehe, (Makes move) ist es aus. Wenn ich nach rechts gehe, (Makes move) ist es auch aus. Ich kann nichts machen. Also . . . (Giving up problem) Wir können zusammen spielen, wenn Sie wollen.

Brigitte Ach, lieber nicht. Wenn Sie nichts dagegen haben, möchte ich Sie etwas fragen.

Steinle Aber bitte sehr!

Brigitte Herr Doktor, könnten Sie mir einen Rat geben?

Steinle Wenn ich kann, gern.

Brigitte Ich denke, ich gebe das Studium auf.

Steinle Was? Warum Brigitte?

Brigitte Ich habe eine Arbeit geschrieben und ... Nun, sie war schlecht, ganz, ganz schlecht.
(Waiter comes with the chocolate)

Waiter Ihre Schokolade. Bitte.

Brigitte Danke.

Steinle Ach, wissen Sie . . . wenn man eine schlechte Arbeit schreibt, muss man nicht gleich das Studium aufgeben.

Brigitte	Ich weiss. Aber ich habe einfach keine Zeit und keine Energie. Wenn ich studieren will, kann ich nicht auf Tournee gehen. Wenn ich singen will, muss ich das Studium aufgeben. Ich kann nicht studieren und singen.
Steinle	Ich verstehe. Und Sie wollen das Studium aufgeben.
Brigitte	Ich will nicht. Ich muss. Ich weiss, es ist falsch. Aber wenn ich das Singen aufgebe, ist alles aus. Ach! Was ich mache, ist falsch. Wie bei Ihnen hier! (Points to chessboard)
Steinle	Ja, liebe Brigitte, ich kann Ihnen keinen Rat geben. Sie sagen, Sie haben nicht genug Zeit. Ist das wirklich so?
Brigitte	Ja und nein.
Steinle	Ist es ein Mann?
Brigitte	Ja, leider. Wenn ich vernünftig bin, sehe ich ihn nie wieder.
Steinle	Können Sie vernünftig sein?
Brigitte	Nein.

Words and Phrases

wenn das kein Zufall ist	if that's not a coincidence
heisse Schokolade (die)	hot chocolate
lieber nicht	rather not
ich möchte Sie etwas fragen	I would like to ask you something
wenn Sie nichts dagegen haben	if you don't mind
könnten Sie mir einen Rat geben	could you give me some advice
ich gebe das Studium auf	I'll give up my studies
ich weiss, es ist falsch	I know, it is wrong
das Singen	the singing
nie wieder	never again
vernünftig	reasonable

EXPLANATIONS

1 In conversation a **wenn**-phrase may be used by itself — exactly as in English:

1	Steinle	Nehmen Sie ein Taxi!
	Peter	Ja, wenn ich ein Taxi **bekomme**!
2	Steinle	Spielen Sie auch Schach?
	Brigitte	Ja, wenn ich Zeit **habe.**
3	Brigitte	Glauben Sie, er kommt pünktlich ins Büro?
	Steinle	Wenn er Glück **hat**, ja!

Notice how if you use the word **wenn** meaning 'if' the verb goes to the end of the sentence.

2 In the following examples, each sentence consists of two phrases separated by a comma. Note how if the first phrase begins with **wenn** meaning 'if', the second phrase begins with the verb.

Wenn es warm ist, **sitze** ich draussen.
Wenn es kalt ist, **sitze** ich drinnen.
Wenn ich studieren will, **kann** ich nicht auf Tournee gehen.
Wenn ich singen will, **muss** ich das Studium aufgeben.
Wenn ich vernünftig bin, **sehe** ich ihn nie wieder.

PRACTICE

Exercise 1

Here are some questions and statements. Choose a statement as a possible answer and convert it into a **wenn**-sentence.

Schwimmen Sie gern?   Ja, wenn das Wasser warm ist.

(Check your **wenn**-sentences in the key at the back of the book.)

QUESTION	STATEMENT
Kommen Sie morgen?	Ich kann.
Mögen Sie gern Kinder?	Sie sind klein.
Essen Sie gern Orangen?	Sie sind süss.
Komme ich pünktlich?	Sie laufen.
Kaufen Sie oft Bücher?	Ich habe Geld.
Hören Sie gern Jazz?	Die Band ist gut.
Verreisen Sie oft?	Ich habe Zeit.
Kann ich Ihnen helfen?	Sie können.
Kann ich 100 DM haben?	Es muss sein.
Essen Sie gern Eis?	Es ist heiss.
Lesen Sie gern deutsche Bücher?	Sie sind einfach.
Kann ich das Klavier haben?	Es ist billig.
Kann ich mitkommen?	Sie sind pünktlich.
Kann ich Sie sehen?	Sie wollen.

ANSWER

Ja, . . .

Exercise 2

In this dialogue between a salesman and his customer you must complete the answers. The pattern on which to form your answers is as before.

(Es ist schön)   Ja, wenn es schön ist!

Check your **wenn**-sentences in the key at the back of the book.

Salesman	Vielleicht ein Hut?	Salesman	Vielleicht ein Kleid?
Customer	(Er ist schick)	Customer	(Es ist elegant)
	Ja, . . .		Ja, . . .

Salesman	Und vielleicht ein Mantel?	Salesman	Und vielleicht ein Pullover?
Customer	(Er hat Stil)	Customer	(Er ist nicht zu klein)
	Ja, . . .		Ja, . . .

Salesman	Und vielleicht Schuhe?	Salesman	Und vielleicht Parfum?
Customer	(Sie passen)	Customer	(Es ist nicht zu teuer)
	Ja, . . .		Ja, . . .

Salesman	Und vielleicht ein Koffer?	Customer	Kann ich Kredit haben?
Customer	(Er ist gross genug)	Salesman	(Es muss sein)
	Ja, . . .		Ja, . . .

24-Vierundzwanzig

Reported Speech

SCENE A

Peter's office. The telephone rings.

Peter   Ja, Fräulein Gollwitz? Was? Er schläft noch? Wer sagt das? Ich glaube es nicht! Aber es ist dringend. Ich sage, dass es dringend ist. Fräulein Gollwitz, bitte rufen Sie das Hotel noch einmal an! Sagen Sie, dass der Hamburger Merkur Mr. Monk interviewen will. Und sagen Sie, dass es dringend ist. Wie bitte? Ich weiss, dass Sie das schon einmal gesagt haben. Vielen Dank, Fräulein Gollwitz. (Puts down receiver) So was! (A knock at the door. Balthoff enters) Guten Morgen, Herr Balthoff!

Balthoff   Hören Sie mal, mein Lieber . . .

Peter   Nehmen Sie bitte Platz.

Balthoff   Nein danke, keine Zeit. Bitte bleiben Sie sitzen. Was wollte ich sagen? Ja. Ich habe mit unserem Boss gesprochen. Über Sie, Herr Hennings.

Peter   Ja? Was — was sagt er?

Balthoff   Nun, er sagt, dass er sehr zufrieden ist.

Peter   Mit mir? Wirklich?

Balthoff   Jawohl. Das ist doch sehr schön, nicht? Er hat Ihren letzten Artikel gelesen. Na, Sie wissen schon, über das Mädchen und die Reeperbahn. Also, er hat gesagt, dass der Artikel sehr gut ist.

Peter   Das freut mich.

Balthoff   So. Ich muss gehen. Sonst sagt meine Sekretärin, dass ich faul bin. Wiedersehen, mein Lieber! (Notices a dictionary) Was sehe ich? Sie lernen Englisch?

Peter   Nein. Ich mache heute das Interview mit Howard Monk.

Balthoff   Howard Monk? Ach ja. Der Direktor vom Shakespeare Theater. Wann sehen Sie ihn?

Peter   Ich weiss nicht. Ich habe noch immer keinen Termin. Ich warte schon eine Stunde. (Telephone rings) Ja? Zu dumm! Was machen wir da?

Balthoff   Was sagt sie?

Peter   Sie sagt, dass Monk nicht da ist. (To the secretary) Haben Sie gesagt, dass ich ihn sprechen will? Ja und? Aber das ist ja lächerlich! Danke! (Puts down receiver) Das Hotel sagt, dass Mr. Monk kein Deutsch versteht.

Balthoff   Was hat er denn gesagt?

Peter   ‚Thank you', hat er gesagt.

Balthoff   Das ist nicht viel! (Telephone rings)

Peter   Ja? Na endlich. Wer? Erwin Lamprecht?

Balthoff   Das ist der Public-Relations-Mann. Geben Sie mal her! (Takes receiver from Peter) Balthoff hier. Guten Tag, Herr Lamprecht. Sagen Sie, wo ist Mr. Monk denn? Wie bitte? Na schön! Gut, gut, Herr Hennings kommt. Wiederhören. (Puts receiver down) Um vier Uhr im Thalia Theater. Lamprecht hat gesagt,

dass Monk pünktlich ist. Sie müssen auch pünktlich sein.
Übrigens, Lamprecht kommt mit. Er sagt, dass er gut Englisch
spricht. Er kann Ihnen helfen.
Peter   Das ist gut!
Balthoff   Na dann viel Glück, Herr Hennings!

Words and Phrases

dringend	urgent
rufen Sie das Hotel an	call the hotel
ich sage, dass	I say that
sagen Sie, dass	say that
interviewen	to interview
bleiben Sie sitzen	don't get up
mit unserem Boss	with our boss
zufrieden	pleased
sonst	otherwise
das freut mich	I am glad
vom Shakespeare Theater	from the Shakespeare Theatre
(der) Termin	date
lächerlich	ridiculous
versteht	understands
na endlich!	at last!
spricht	speaks

SCENE B

A room in the Thalia Theater.

Lamprecht   May I introduce Mr. Peter Hennings of the Hamburg Merkur. Mr. Howard Monk, the director of the London Shakespeare Theatre which is coming to Hamburg next week. But you know that — aber das wissen Sie ja. (To Monk) Bitte nehmen Sie Platz, Herr Monk! (To Peter) Please sit down Herr Hennings. (Suddenly realises the mistake) I mean, of course — (laughs) Herr Hennings — do you speak English? (Peter shakes his head) Nein? Wirklich nicht?

Peter   I understand a little, but I cannot speak English.

Lamprecht   (To Monk) He speaks English very well, doesn't he? And you Mr. Monk — sprechen Sie Deutsch, I mean do you speak German?

Monk   No, I am sorry, not a word!

Lamprecht   (Beaming at the two of them) Well, then I shall be your interpreter. (To Peter) Ich werde der . . .

Peter   Ich habe verstanden, Herr Lamprecht.

Lamprecht   You have? Also bitte, Herr Hennings, Ihre Fragen!

Peter   Das Shakespeare Theater kommt mit Hamlet nach Hamburg. Hat die Wahl besondere Bedeutung?

Lamprecht   Your theatre is bringing Hamlet to Hamburg. Herr Hennings asks if the choice of the play has a special significance?

Monk   (Considering the question) No, I don't think so — no, no.

Lamprecht   (To Peter) Nein!

Peter   So — hm.

Monk	Doesn't he like the play?
Lamprecht	Mr. Monk fragt, ob Sie das Stück nicht mögen?
Peter	Yes, yes! I mean — ich meine nur, hat er Hamlet speziell für Deutschland gewählt?
Lamprecht	Have you chosen Hamlet specially for Germany?
Monk	No, I don't think so — no, no.
Lamprecht	Nein.
	(An awkward pause. Monk and Lamprecht stare at Peter)
Peter	Aha. Bitte fragen Sie Mr. Monk, ob er je einen Shakespeare in Deutschland gesehen hat?
Lamprecht	Ah! That is a very good question, Herr Hennings. (To Monk) Also, Herr Hennings hat gefragt, ob Sie je einen Shakespeare in Deutschland gesehen haben? (Seeing Monk's face, he realises his mistake) Ach, entschuldigen Sie, Mr. Monk! (To Peter) I am so sorry. (Laughs) Ich meine natürlich — so sorry — Entschuldigung. Have you ever seen a Shakespeare play on the German stage?
Monk	Yes — once.
Peter	Was war es, und wo hat er das Stück gesehen?
Lamprecht	What was the name of the play and where did you see it?
Peter	Wer hat es produziert?
Lamprecht	He also wants to know who produced it.
Monk	(Annoyed) Hamlet — in the Thalia Theatre, Hamburg. It was produced by Dieter König. Did you see it, Mr. Hennings?
Peter	No.
Monk	I wonder — does Herr Hennings often go to the theatre? Does he like the theatre?
Lamprecht	Mr. Monk fragt, ob Sie oft ins Theater gehen. Und ob Sie Theater mögen.
Peter	(Glares at Monk) Warum fragt er das?
Lamprecht	(Tries to save the situation) May I ask a question? Would you care for a drink? Herr Hennings, ich frage, ob Sie einen Drink wollen?
Monk	Ja, danke schön.
Peter	Yes, thank you.

Words and Phrases

(die) Wahl	choice
besondere Bedeutung (die)	special significance
(das) Stück	play
ich meine nur	I only mean
speziell	specially
ob Sie je einen Shakespeare in Deutschland gesehen haben	whether you've ever seen a Shakespeare play in Germany
produziert	produced

EXPLANATIONS

1 How to report what someone else says or said

Er/Sie sagt, [dass] ... He/She says [that] ...
Er/Sie hat gesagt, [dass] ... He/She said [that] ...

Statement

Sie	ist schön
Er	

Reported Statement

Er	sagt,	dass	er	schön ist
	hat gesagt,		sie	

Notice the word order:
In the **dass**-phrase the verb always goes to the end.

Examples from Scene A

Er ist sehr zufrieden.
Er sagt, dass er sehr zufrieden **ist.**

Mr. Monk **versteht** kein Deutsch.
Das Hotel sagt, dass Mr. Monk kein Deutsch **versteht.**

Er spricht gut Englisch.
Er sagt, dass er gut Englisch **spricht.**

Der Artikel **ist** sehr gut.
Er hat gesagt, dass der Artikel sehr gut **ist.**

Mr. Monk **ist** pünktlich.
Er hat gesagt, dass Mr. Monk pünktlich **ist.**

2 How to report what someone else asks or asked

Er/Sie fragt, [ob] ... He/She asks [whether] ...
Er/Sie hat gefragt, [ob] ... He/She asked [whether] ...

Question

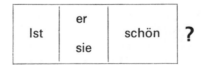

Ist	er	schön	**?**
	sie		

Reported Question

Er	fragt,	ob	er	schön ist
	hat gefragt,		sie	

Notice the different word order:
In the **ob**-phrase the verb always goes to the end.

Examples from Scene B

Mögen Sie das Stück nicht?
Mr. Monk fragt, ob Sie das Stück nicht **mögen**?

Gehen Sie oft ins Theater?
Mr. Monk fragt, ob Sie oft ins Theater **gehen**?

Mögen Sie Theater?
Mr. Monk fragt, ob Sie Theater mögen?

Haben Sie je einen Shakespeare in Deutschland **gesehen**?
Herr Hennings hat gefragt, ob Sie je einen Shakespeare in Deutschland **gesehen haben**?

2a Other examples of reported questions

Question

(i)

Wer		er	**?**
Was	ist		
Wo		sie	

Reported question

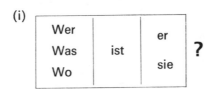

	fragt,	**wer**	er	ist
Er		**was**	sie	
	hat gefragt,	**wo**		

Question

(ii)

Wann		er	**?**
Wie	kommt		
Warum		sie	

Reported question

	fragt,	**wann**	er	kommt
Er		**wie**	sie	
	hat gefragt,	**warum**		

25

PRACTICE
Exercise 1
Imagine being a witness to these conversations and report what's being said.
In your answer use the same tense as is used in the question.
You'll find the right answers in the key at the back of the book.

Was hat er gesagt?

Was sagt er?

Exercise 2

Explain in reported speech what Voice 1 (or Voice 2) is asking. You can check your sentences in the key at the back of the book.

Voice 1	Wer ist das?
Voice 2	Wie bitte? Was fragt er?
You	

Voice 2	Rosa Riccardi.
Voice 1	Was singt sie?
Voice 2	Was hat er gefragt?
You	

Voice 2	Die Walküre.
Voice 1	Wo singt sie?
Voice 2	Wie bitte? Was fragt er?
You	

Voice 2	In der Scala.
Voice 1	Singt sie noch sehr lange?
Voice 2	Was hat er gefragt?
You	

Voice 2	Noch eine Stunde. Singt sie nicht schön?
Voice 1	Wie bitte? Was fragt er?
You	

Voice 1	Doch. Aber zu laut!

25-Fünfundzwanzig

Ordering a meal

SCENE

	The head waiter — der Ober — leads Anneli, Rudi and Janos to their table.
Ober	Bitte. (Hands them the menu cards) Die Speisekarte.
Anneli	Danke, Herr Ober. Zuerst wollen wir die Speisekarte studieren, nicht? (Rudi and Janos nod)
Ober	Sehr wohl! Möchten Sie vielleicht einen Aperitif?
Anneli	Ja. Rudi — Janos?
Rudi	Was möchtest du trinken, Anneli?
Anneli	Nein, nein. Heute seid ihr meine Gäste. Nun, meine Herren?
Rudi	Also, ich nehme einen Martini.
Anneli	Janos? Was möchtest du trinken?
Janos	Ich möchte auch einen Martini . . .
Anneli	Also, Herr Ober, drei Martini. Und inzwischen studieren wir die Karte.
Ober	Sehr wohl, gnädige Frau.
	(In a snackbar — Imbisstube — Peter is waiting. Another man is already being served)
Waitress	Zweimal Bratwurst mit Sauerkraut.
Customer	(Nods seriously)
Waitress	Ein Glas Bier.
Customer	Jawohl. (Waitress brings him a large beer) Ich möchte zahlen.
Waitress	Ist das alles? Also, Sie hatten zwei Frankfurter mit Kartoffelsalat — ein Schnitzel mit Brötchen — zweimal Bratwurst mit Sauer- kraut — vier Bier. Das macht zusammen — macht zusammen neun Mark vierzig (9.40 DM). Hat es geschmeckt?
Customer	Ja. (Customer points at empty glass)
Waitress	Noch ein Bier?
Customer	Ja bitte.
Waitress	(To Peter) Was möchten Sie bitte?
Peter	Ich möchte eine Bratwurst.
Waitress	Möchten Sie etwas dazu?
Peter	Kartoffelsalat und ein Brötchen.
Waitress	Möchten Sie etwas trinken?
Peter	Ein Bier, bitte (Takes out money) Ich möchte gleich zahlen.
	(Restaurant. Anneli, Rudi, Janos are drinking, but still studying the menu.)
Anneli	Nun, hast du gewählt, Rudi?
Rudi	Ja, ich glaube, ich esse Fisch. Ich nehme Scholle.
Anneli	Ja, warum nicht!
Rudi	(Looks again at menu) Oder vielleicht doch nicht? Vielleicht lieber Fleisch? Ich nehme ein Schweinskotelett.
Anneli	Janos?
Janos	Ich bin nicht hungrig.
Anneli	Was hast du Janos? Gefällt es dir hier nicht?

Rudi	Ich bin schuld, Anneli. Er will mit dir allein sein. Janos ist eine Primadonna. Eine ungarische Primadonna.
Anneli	Rudi! Ich bitte dich!
Janos	Hast du das gehört? Ich gehe.
Anneli	Bleib sitzen, bitte! Da kommt der Ober. (Smiles) Ah, Herr Ober!
Ober	Wollen Sie bestellen?
Anneli	Wir sind alle sehr hungrig. Was können Sie uns empfehlen, Herr Ober?
Ober	Wir beginnen mit der Vorspeise, nicht? Eine Suppe vielleicht? Oder — vielleicht Hering in Sahnesauce? Oder — Hummer-cocktail?

Words and Phrases

(die) Speisekarte	menu
was möchtest du?	what would you like?
meine Gäste	my guests
ich möchte	I would like
inzwischen	in the meantime
gnädige Frau	madam
zweimal	twice
(die) Bratwurst	a fried sausage
ich möchte zahlen	I would like to pay
hat es geschmeckt?	did you enjoy it?
möchten Sie etwas dazu	would you like anything with it?
(der) Kartoffelsalat	potato salad
gewählt	chosen
ich esse Fisch (der)	I'll eat fish
(die) Scholle	plaice
(das) Fleisch	meat
(das) Schweinskotelett	pork chop
(der) Ober	waiter
bestellen	order
empfehlen	recommend
(die) Vorspeise	first course, hors d'oeuvre
(die) Suppe	soup
Hering in Sahnesauce	herring in cream sauce
(der) Hummercocktail	lobster cocktail

EXPLANATIONS

How to ask for a table

Haben Sie einen Tisch für	drei	**?**
	vier	

How to call for the waiter
Herr Ober!
or: Fräulein!

What the waiter may say
Ja, mein Herr?
Ja, meine Dame?
or: Bitte sehr?

How to order

Ich möchte bitte	die Speisekarte die Weinkarte ein Bier eine Ochsenschwanzsuppe ein Rumpsteak eine Tasse Kaffee

If you want to order the same dish for two people you say e.g. **'Zweimal** Rump-steak'. For three people e.g. **'Dreimal** Ochsenschwanzsuppe'.

How to ask for the bill

Herr Ober /Fräulein, { zahlen, bitte !
die Rechnung, bitte !
ich möchte bitte zahlen.

What the waiter may say

Zahlen Sie zusammen oder getrennt ?
Together, or separate bills ?
Das macht zusammen e.g. 11 Mark 50.

N.B. In Germany there is normally a 10 - 15% service charge included in the final bill. You will also find on the bill a reference to 'Mehrwertsteuer.' This is a value added tax. You will often see prices quoted as 'Endpreise' — i.e. already including service charge and Mehrwertsteuer.

PRACTICE

Exercise
Practise ordering a meal and reckoning up the bill. Base your sentences on the menu reproduced on pages 32 and 33. (Courtesy of the Hotel Vierjahreszeiten, Hamburg.)

Vorspeisen

Hors d'Oeuvres

Endpreis DM		Hors d'Oeuvres

Warmes Vorgericht „Vier Jahreszeiten",
Krebsschwänze und Hummer überbacken
Hot hors d'oeuvres "Four Seasons",
crayfish tails and lobster au gratin
Entrée chaude à la »Quatre Saisons«,
queues d'écrevisses et homard au gratin

15.50

Indischer Masthuhnsalat, Currymayonnaise,
Ananas
Chicken salad indian style, curry mayonnaise, pineapple
Salade de volaille à l'indienne, mayonnaise au curry,
ananas

8.40

6 Weinbergschnecken
6 Snails
6 Escargots de Bourgogne

7.60

Gänseleber-Parfait, Cumberland, Waldorfsalat
Parfait of foie gras, cumberland, Waldorf salad
Parfait de foie gras, cumberland, salade Waldorf

19.50

Schlemmerschnitte (10 g Kaviar)
Tartar with caviar on toast
Tartar et caviar sur toast

21.30

Hanseaten Vorgericht, Scampi, Forellenfilet,
Räucherlachs, Aal, Sahnenmeerrettich
Hors d' oeuvres hanseatic style, scampi, filet
of trout, smoked salmon, eel, creamed horseradish
Hors d' oeuvres hanséatique, scampi, filet de truite
fumée, saumon, anguille, raifort à la crème

15.80

Suppen

Soups   Potages

Schottische Hühnerkremsuppe
Scotch chicken cream soup
Crème de volaille a l'écossaise

2.75

Klare Ochsenschwanzsuppe, Trüffelklößchen
Clear oxtail soup, truffled dumplings
Oxtail clair, quenelles de truffes

2.50

Schildkrötensuppe „Lady Curzon"
Turtle soup "Lady Curzon"
Crème tortue »Lady Curzon«

4.50

Ungarische Gulaschsuppe
Hungarian gulyas soup
Potage gulyas à la hongroise

3.50

Salate

Salads   Salades

Salatplatte, Kräuter-Dressing
Assorted salads, herb dressing
Salades assorties aux fines herbes

5.50

Rohkostplatte, Früchte, Joghurt
Raw vegetable, fruit, joghurt
Crudités, fruits, yaourt

7.35

Salate der Jahreszeit siehe Tageskarte
Salads in season you will find on the daily card
Pour les salades de saison consultez la carte du jour

Fischgerichte

Fish   Poissons

	Endpreis DM

Helgoländer Fischgericht, Siam Patnareis
Fish Helgoland style, white rice
Poisson à la mode d'Helgoland, riz blanc

11.80

Seezunge vom Grill oder „Müllerin Art",
Salatplatte
Sole grilled or meunière, assorted salads
Sole grillée ou à la meunière, salades assorties

Preis
nach
Größe

Fritto Misto von Fisch, Tomatensauce,
gemischter Salat
Fritto Misto of fish, tomato sauce, mixed salad
Fritto Misto de poisson, sauce tomate, salades variées

15.20

Flußaal grün, Butterkartoffeln, Gurkensalat
River eel in dill sauce, buttered potatoes,
cucumber salad
Anguille de rivière, sauce d'aneth, pommes au beurre,
salade de concombre

18.75

Langustenschwänze à la nage, Meterbrot
Lobster tails à la nage, white bread
Queues de langouste à la nage, baguette

21.50

Kalte Platten

Cold Dishes   Plats froids

Bündnerfleisch, Vollkornbrot
Air dried meat, rye bread
Viande des Grisons, pain complet

9.–

Roastbeef, Remoulade, Bratkartoffeln, Salatteller
Roastbeef, remoulade, fried potatoes, assorted salads
Rosbif, sauce remoulade, pommes sautées,
salades assorties

15.20

Katenschinken auf Holzteller, Schwarzbrot
Westphalian smoked ham, rye bread
Jambon et pain complet de Westphalie

13.35

Geräucherte Gänsebrust, Vollkornbrot
Smoked breast of goose, rye bread
Poitrine d'oie fumée, pain complet

12.80

Eierspeisen

Egg - Dishes   Mets aux Oeufs

Omelette, Ragoût fin
Omelet with ragout fin
Omelette, ragoût fin

7.80

Verlorene Eier auf Blattspinat,
Käsesauce überbacken
Poached eggs on leaf spinach, cheese sauce au gratin
Oeufs pochés sur épinards en branches au four

8.20

Kräuter-Rühreier, Kalbslebergeschnetzeltes
Scrambled eggs with fine herbs, sliced calf's liver
Oeufs brouillés aux fines herbes, emincé de foie de veau

8.50

Tageskarte

Hauptgerichte

Main Dishes	Plats Principaux	Endpreis DM

Champignonschnitzel, Butterreis, Kaiserschoten, Tomatensalat
Veal escalope with mushrooms, white rice, fine peas, tomato salad
Escalope de veau aux champignons, riz blanc, petits pois, salade de tomates — 15.50

Porterhouse Steak, Bearnaise, geschabter Meerrettich, erlesene Gemüse, pommes frites (2 Personen)
Porterhouse steak, sauce Bearnaise, horseradish, selected vegetables, french fried potatoes (2 persons)
Porterhouse steak, sauce Béarnaise, raifort, bouquetière de légumes, pommes frites (2 personnes) — 39.—

Sauerkraut garniert, Kasseler Rippe, Frankfurter Wurst, Saucisschen, Kartoffelbrei überbacken
Sauerkraut garnished, mashed potatoes au gratin
Choucroute garnie, pommes purée au four — 12.80

Kalbschweser, Champignons, Trauben in Portwein, Safranreis
Sweetbreads, mushrooms and grapes in portwine, saffron rice
Ris de veau, champignons et raisins au porto, riz au safran — 15.20

Filetsteak, Markknochen, Grill-Tomate, pommes frites, Salatplatte
Fillet steak, marrow, grilled tomato, french fried potatoes, salad platter
Filet de boeuf à l'os, tomate grillée, pommes frites, salades variées — 19.40

Jungente „Bigarade", haricots verts, Butterkartoffeln, Kopf- und Selleriesalat
Roast duckling "Bigarade", green beans, buttered potatoes, lettuce and celery salad
Caneton rôti »Bigarade«, haricots verts, pommes au beurre, salade de laitue et de céleri — 15.80

Kalbsmedaillons, Choron, Kaiserschoten, Spargel „polnisch", Champignons
Medaillons of veal, sauce choron, fine peas, asparagus polish style, rice with mushrooms
Medaillons de veau, sauce choron, petits pois, aspèrges polonaise, riz aux champignons — 19.—

Süßspeisen - Käse

Desserts – Cheese	Desserts – Fromages

Pfirsich-Orangen-Sorbet, petits fours
Sherbet of peaches and oranges, petits fours
Sorbet de pêches et d'oranges, petits fours — 6.80

Crêpes Suchard — 4.20

Himbeeren „Vier Jahreszeiten", Näschereien
Raspberries "Four Seasons"
Framboises façon »Quatre Saisons« — 6.80

Moselweingelée, Früchte
Wine jelly, fruit
Gelée au vin blanc, fruits — 5.70

Crêpe Parmesan, Ingwer glaciert
Crêpe au parmesan — 5.50

Französischer Camembert gebacken, Beilagen
Deep fried french camembert
Camembert français frit — 4.80

26-Sechsundzwanzig

Revision: (a) asking the way
(b) can and must

SCENE A

On the street. A newsvendor with newspapers and magazines.

Newsvendor	Hamburger Anzeiger! Hamburger Merkur! Die Abendpost!
Peter	Haben Sie den neuen Spiegel bitte?
Newsvendor	Ja, natürlich. Hier bitte! Eine Mark fünfzig (DM 1.50). Möchten Sie den Stern oder die Münchner Illustrierte?
Peter	Nein danke.
Newsvendor	Den Hamburger Merkur?
Peter	Nein danke. Wissen Sie, den Hamburger Merkur bekomme ich gratis. Ich bin Reporter bei der Zeitung.
Newsvendor	Ach so!
Peter	Sagen Sie bitte, wo ist hier in der Nähe eine Post? Da geradeaus, nicht?
Newsvendor	Ja, richtig.
Peter	Und dann die erste Strasse ...
Newsvendor	Nein, die zweite Strasse ...
Peter	Ach ja, die zweite Strasse links.
Newsvendor	Rechts. Also: hier geradeaus, dann die zweite Strasse rechts, und da, gleich um die Ecke, ist die Post.
Peter	Vielen Dank. Auf Wiedersehen!
Newsvendor	Wiedersehen! Ein netter junger Mann! Hamburger Merkur! Hamburger Merkur! Abendpost! Anzeiger! Merkur!
	(A girl approaches the newsvendor)
Newsvendor	Den Hamburger Merkur?
Girl	Wie komme ich zum Hauptbahnhof, bitte?
Newsvendor	Zum Hauptbahnhof? — Ja, mein liebes Fräulein, das ist sehr weit. Wollen Sie fahren? Die Strassenbahnhaltestelle ist ...
Girl	Nein, ich gehe zu Fuss.
Newsvendor	Zu Fuss? Also, Sie gehen da um die Ecke (Points) und dann immer die Strasse entlang, am Supermarkt vorbei. Dann nehmen Sie die dritte Strasse links. Sie gehen immer geradeaus, und plötzlich sind Sie am Hauptbahnhof.
Girl	Danke. Auf Wiedersehen.
Newsvendor	Bitte!
	(An earnest Englishman approaches the newsvendor and almost immediately a German middle-aged couple.)
Newsvendor	Hamburger Merkur! Abendpost! Anzeiger?
Englishman	No, no thank you. I ...
Newsvendor	Möchten Sie vielleicht einen Hamburg-Führer? Guide! Guide?
Englishman	One second.
	(Englishman takes out of his pocket the 'Wie bitte?' book, looks for the right page)
Englishman	Ah! Bitte, ‚Wie komme ich am besten zur Oper?'
Newsvendor	Also, Sie nehmen die zweite Strasse rechts, dann links, dann wieder rechts.

Englishman	(Turns pages of 'Wie bitte?' again) Greetings. Ah, here! Danke, Sie auch!' (Leaves)
Newsvendor	Danke, Sie auch? So etwas! Was glauben die Leute!
German	Grüss Gott!
Newsvendor	Münchner Tageblatt, Wiener Journal?
German	Nein danke. Ich lese keine Zeitungen. Ich wollte Sie nur fragen: Wo gibt es hier in der Nähe einen Bierkeller?
Newsvendor	Einen Bierkeller? Wo gibt es hier in der Nähe ein Irrenhaus?

Words and Phrases

bei der Zeitung	with the paper
möchten Sie vielleicht einen Hamburg-Führer?	would you like a Hamburg guide?
was glauben die Leute!	what do they think they're doing!
ich lese keine Zeitungen	I don't read papers
(das) Irrenhaus	lunatic asylum

SCENE B

The landing. Steinle knocks at Brigitte's door.

Brigitte	Ja?
	(Steinle opens door — enters)
Steinle	Darf ich?
Brigitte	Aber ja, Herr Doktor. Bitte.
Steinle	Bitte. (Gives her a box of chocolates)
Brigitte	Pralinen? Vielen Dank.
Steinle	Sie sehen so blass aus. Was ist mit Ihnen los? Kann ich Ihnen helfen?
Brigitte	Nein, nein. Es ist nicht so einfach. Ich habe Probleme. Nein, das ist nicht wahr. Ich habe ein Problem. Ich muss mir selbst helfen.
Steinle	Brigitte, Sie sind ein intelligenter Mensch . . .
Brigitte	Ich? (Gets up) Ich bin dumm, schrecklich dumm!
Steinle	Unsinn! Wie können Sie so etwas sagen!
Brigitte	Ich habe Ihnen von einem Mann erzählt. Erinnern Sie sich? Janos! Ich habe den Mann geliebt. Und jetzt . . . Ich hasse ihn. Ich habe nicht gewusst, dass ich so hassen kann.
Steinle	Was hat er Ihnen getan?
Brigitte	Er hat mich belogen. Und noch mehr. Und ich habe ihm geglaubt! Nicht am Anfang, aber später. Vielleicht auch nicht. Ich weiss nicht mehr.
Steinle	Das tut sehr weh. Ich weiss das aus Erfahrung. Ich kann Sie sehr gut verstehen. Aber Sie müssen vergessen.
Brigitte	Unmöglich. Ich kann nicht vergessen.
Steinle	Doch, doch. Sie müssen es versuchen.
Brigitte	Ich muss Ihnen etwas sagen. Janos ist ein Erpresser.
Steinle	Was?
Brigitte	Ich habe ihm Geld gegeben. Geld — das macht nichts. Aber . . . aber die Beleidigung! Das tut weh. Ich kann es nicht ertragen. Ich muss es ihm heimzahlen. Ich muss, ich muss . . .

Words and Phrases

Pralinen	chocolates
blass	pale
was ist mit Ihnen los?	what's wrong with you?
ich muss mir selbst helfen	I must solve it myself
so etwas	such a thing
ein intelligenter Mensch	an intelligent person
ich habe den Mann geliebt	I loved the man
schrecklich dumm	terribly stupid
ich hasse ihn	I hate him
dass ich so hassen kann	that I can hate like that
was hat er Ihnen getan?	what has he done to you?
er hat mich belogen	he has lied to me
und noch mehr	and even more
nicht am Anfang	not in the beginning
das tut sehr weh	that hurts very much
aus Erfahrung (die)	from experience
versuchen	try
die Beleidigung	insult
ertragen	bear
ich muss es ihm heimzahlen	I must pay him back

PRACTICE

Exercise 1

This self-correcting exercise is to give you practice in using the verb **können.**
See 'Wie bitte?' book 1, pages 37-41. The answers which you are required to
give in this exercise all conform to one of these sentence patterns:

1

	schwimmen	
Können Sie		?
	tanzen	

2

Ja,		schwimmen
	ich kann (nicht)	
Nein,		tanzen

3

Kann ich	hier	parken	
Können wir	die Zeitung	haben	?

4

Sie können	hier (nicht)	parken
Du kannst	die Zeitung (nicht)	haben

5

Hier	können Sie	(nicht)	parken
Die Zeitung	kannst du	(nicht)	haben

To do the exercise cover the page with a card and move it down to reveal the first box. Speak the completed sentences aloud, then move the card down to reveal the next box. You will find the answers to the previous box on the right, and the next dialogue on the left. The sentence pattern to which each answer conforms is indicated.

A ——— ich hier parken?

B Nein. Sie ——— hier nicht ———

A ——— ich hier abbiegen?

B Nein. Sie ——— hier nicht ——

Kann (3)

können/parken (4)

A Ich habe eine Erkältung.

B ——— ——— heute ——— arbeiten.

Kann (3)

können/abbiegen (4)

A ——— ich Sie besuchen?

B Nein. Sie ——— mich nicht ———

Sie können/nicht (4)

A ——— Sie singen?

B Ja. Nicht sehr gut, aber ich ——— ———

Kann (3)

können/besuchen

A ——— ich bitte das Auto haben?

B Nein. Du ——— das Auto ——— ———

Können (1)

kann singen (2)

A ——— sie kochen?

B Ja, sie ——— gut ———

Kann (3)

kannst/nicht haben (4)

A ——— er tanzen?

B Ja, er ——— ———

Kann (1)

kann/kochen (4)

A ——— ich hier überholen?

B Nein. Hier ——— Sie ——— ———

Kann (1)

kann tanzen (2)

A ———— Sie warten? B Nein. Ich habe es eilig. Ich ———— ———— ————	**Kann** (3) **können/nicht überholen (5)** N.B. When you use this sentence pattern it emphasizes the first word.
A ———— wir über die Strasse ————? B Nein. Jetzt ————· ———— ———— hinübergehen!	**Können** (1) **kann nicht warten (2)**
Now if possible go through the exercise again with another person, each taking a part in these dialogues.	**Können/gehen** (3) **können wir nicht** (5)

Exercise 2

This self-correcting exercise is to give you practice in using the verb **müssen**. See 'Wie bitte?' book 1, pages 39-43. The answers you are required to give in this exercise all conform to one of these sentence patterns.

1

Ich muss	lernen
Sie müssen	gehen

2

Ich muss	eine Pause	machen
Sie müssen	den Salat	waschen

3

Zuerst		das	machen
	müssen Sie		
Dann		den Salat	waschen

The exercise works in exactly the same way as exercise 1.

A Muss ich hier halten?

B Ja, Sie ———— halten.

A Der Zug fährt in fünf Minuten. B Ja, ich ————— laufen.	müssen (1)
A Ich bin müde. B Sie sind faul. Sie ————— arbeiten.	muss (1)
A Was gibt es heute im Radio? B Ich weiss nicht. Du ————— ————— Radiozeitung kaufen.	müssen (1)
A Wo ist der Schlüssel? B Ich weiss nicht. Du ————— ————— Schlüssel —————	musst die (2)
A Hier ist es zu warm. B Du ————— ————— Fenster —————	musst den*/suchen (2) (*see book 1, page 38)
A Hier ist Ihr Zimmer. B Jetzt ————— ich ————— Koffer aus—————	musst das/aufmachen (2)
A Wie kommen wir ————— Rathaus? B Ich weiss nicht. Du ————— —————	muss/meinen*/packen (3) (*see book 1, page 38)
A Ich möchte Ski laufen. B Zuerst ————— du Ski laufen —————	zum musst fragen (1)
A Ich möchte hier bleiben. B Nein, es ist sehr spät. Sie ————— —————	musst/lernen (3)
Now if possible, go through the exercise again with another person, each taking a part in these dialogues.	müssen gehen (1)

27-Siebenundzwanzig

Revision: (a) arranging to meet someone
(b) expressing intention

SCENE A

Peter's room. Peter is asleep. He has been reading a film magazine and is dreaming. In his dream the telephone rings.

Peter   Peter Hennings. Hallo? Wer sind Sie?

Jane   Peter! Erkennst du mich nicht? Aber Peter!

Peter   Jane Fonda! Wie ist das möglich! Ich denke so oft an dich.

Jane   Ist das wahr? Ahhhhh . . . hast du heute abend Zeit?

Peter   Ja, ja, natürlich!

Jane   Das ist wunderbar. Peter, wir müssen uns treffen. Bitte, bitte!

Peter   Aber gern! Nun, Jane, wann treffen wir uns und wo?

Jane   Zuerst gehen wir in ein Restaurant. Dann gehen wir tanzen. Was meinst du, Peter? Willst du?

Peter   Ja, ja, aber wo? Wo treffen wir uns?

Jane   Ganz einfach. Wir treffen uns vor dem Eingang zum Restaurant. Ich freue mich.

Peter   Aber wo ist das Restaurant? Und wie heisst es? Sag mir doch, wo . . .

Jane   Gegenüber dem Denkmal, bei der U-Bahn.

Peter   Ja, ja, aber welches Denkmal und welche U-Bahn?

Jane   Die U-Bahn neben dem Buchladen. Zwei Häuser rechts von der U-Bahn ist der grosse Buchladen.

Peter   Wie heisst der Buchladen?

Jane   Wir treffen uns in einer Stunde, ja? Halb neun? Ja?

Peter   Liebling, wo ist das Restaurant? Sag mir, wo wir uns treffen? Hallo, hallo, Jane, hallo? (He puts down the receiver) Wie ist Janes Telefonnummer? Ich habe ihre Nummer vergessen. (He turns his head to the wall. In the dream a bare arm appears and puts numbers on a board.)

Peter   Ach ja, natürlich! Zwei, vier, sechs, acht! (Dials. Before he has completed dialling, he hears another woman's voice speaking to him on the telephone)

Anna   Peter! Peter!

Peter   Wer sind Sie?

Anna   Ich? Wer ich bin? Peter!

Peter   Anna Karina! Aber wo ist Jane Fonda? Ich verstehe das nicht.

Anna   Wie bitte? Peter, hör doch mal! Was machst du heute abend? Hast du Zeit? Das ist wunderbar. Wenn ich deine Stimme höre, Peter . . . Können wir uns treffen? Gut. Was machen wir?

Peter   Wenn du willst, gehen wir tanzen. Oder wir gehen in ein Restaurant oder in eine Weinstube. Wart mal! Wollen wir einen Stadtbummel machen?

Anna   Wo treffen wir uns? In der Mönckebergstrasse? Im Café an der Ecke — na, wie heisst es bloss?

Peter   Café König?

Anna	Nein, nein, an der Ecke! Wenn du vor der Post stehst, links. Wir treffen uns im Café.
Peter	Vor welcher Post?
Anna	Weisst du was, Peter? Komm doch her! Willst du? Sag, dass du willst! Bitte, bitte!
Peter	Aber ja, natürlich! Wo wohnst du?
Anna	Am Bismarckplatz.
Peter	Welche Nummer?
Anna	Ich kann dich nicht hören. Sprich lauter! Lauter! Lauter! (Peter mouthes words, but cannot produce a sound. He puts the telephone down. He is woken from the dream by the telephone ringing. He answers it.)
Peter	Hallo? — Wer? Wer? — Falsch verbunden.

Words and Phrases

erkennst du mich nicht?	don't you recognize me?
ich denke so oft an dich	I think of you so often
vor dem Eingang zum Restaurant	in front of the entrance to the restaurant
Denkmal (das)	memorial
bei der U-Bahn	near the underground
welches (with das-words)	which
welche (with die-words)	
neben dem Buchladen	next to the bookshop
zwei Häuser rechts von der U-Bahn	two houses to the right of the underground
wie ist Janes Telefonnummer?	what is Jane's telephone number?
sprich lauter	speak louder
falsch verbunden	wrong number

SCENE B

Steinle's room. Steinle and Brigitte are reading newspapers.

Brigitte	Was denken Sie?
Steinle	Die Zeitungen schreiben nicht viel. Ein Mann ist tot, und die Polizei sucht den Mörder. Das ist alles.
Brigitte	Im Moment. Aber bald schreiben die Zeitungen ganze Seiten. So ein Mord ist genau das Richtige für die Zeitungen. Die Leser wollen alles wissen. Alles!
Steinle	Na, na, es ist nicht so schlimm, Brigitte. Wenn die Polizei den Mörder findet, ist die Sensation schnell vorbei.
Brigitte	Und wenn nicht? Wissen Sie, der Kriminalinspektor verdächtigt mich. Er glaubt, dass ich Janos ermordet habe.
Steinle	Was? Aber das ist . . . Das ist unmöglich! Was wollen Sie machen? Sie müssen etwas tun! Ich meine . . .
Brigitte	Was, Herr Doktor, was? — Nein. Ich tue nichts. Ich sage der Polizei nichts von meiner Liebe zu Janos, und ich erwähne kein Wort von der Erpressung.
Steinle	Ist das vernünftig?
Brigitte	Ja. Ich will der Polizei nicht helfen.

Steinle	Warum nicht? — Warum nicht? Wie lange wollen Sie schweigen, Brigitte? Wie lange wollen Sie die Wahrheit verheimlichen? Es hat keinen Sinn.
Brigitte	Herr Doktor Steinle, ich will Sie etwas fragen. Sie müssen nicht antworten, wenn Sie nicht wollen. Glauben Sie, dass ich Janos ermordet habe? Denken Sie nicht auch: Vielleicht . . . Man kann nicht wissen . . .?
Steinle	Kind, was reden Sie da! Ich . . . ich denke, dass Sie . . . ? Niemals! Nie!
Brigitte	Sie wissen nicht alles. Ich habe Ihnen nicht gesagt, dass . . .
Steinle	Ich will nichts hören!
Brigitte	Warum nicht? Sie sind doch so sicher!
Steinle	(Sharply) Schweigen Sie!
Brigitte	Sehen Sie, sehen Sie! Sie sind nicht sicher! Nun, antworten Sie! Glauben Sie, dass ich Janos ermordet habe?

Words and Phrases

tot	dead
die Polizei sucht den Mörder	the police are looking for the murderer
ganze Seiten	whole pages
findet	finds
vorbei	over
verdächtig	suspicious
von meiner Liebe zu Janos	about my love for Janos
erwähne	mention
von der Erpressung (die)	about the blackmail
schweigen Sie!	be quiet!
die Wahrheit verheimlichen	to conceal the truth
was reden Sie da?	what are you talking about?
sicher	sure

PRACTICE

Exercise 1

If you are arranging to meet someone you need to be able to say **when** to meet and **where** to meet.

To arrange **when** to meet somebody, you must be able to use the following two sentence patterns. (See also 'Wie bitte?' book 1, pages 51 - 52)

1

Haben Sie
> heute today
> heute morgen this morning
> heute nachmittag this afternoon
> heute abend this evening
> morgen tomorrow
> am Montag on Monday
> nächste Woche next week

Zeit ?

2 Wann treffen wir uns?
When shall we meet?

Um

eins	1
zwei	2
drei	3
halb 2	1.30
halb 3	2.30
viertel vor	quarter to
viertel nach	quarter past

?

To arrange **where** to meet you need to know these words: **in** = in, **an** = at, **vor** = in front of, **gegenüber** = opposite.

The exercise first of all practises the use of these words with **der**- words and **das**-words. When you use expressions like 'in the . . .', 'at the . . .', 'in front of the . . .', 'opposite the . . .', the pattern of the German is as follows:

> **im** (in the) Hauptbahnhof, Kino
> **am** (at the) Flughafen, Theater
> **vor dem** (in front of the) Eingang, Haus
> **gegenüber dem** (opposite the) Fahrkartenschalter, Café

The crosses in the drawings show the answers to the questions. The exercise works in exactly the same way as those in chapter 26. Move a card down the page to reveal one box at a time. The answer to the previous box is on the right, the next question on the left. Here are some examples. Speak both questions and answers out loud.

Wo treffen wir uns?	der X Hauptbahnhof	
Wo treffen wir uns?	das Kaufhaus X	Im Hauptbahnhof.
Wo treffen wir uns?	das Café X	Vor dem Kaufhaus.
Wo treffen wir uns?	das Bismarck-Denkmal X	Gegenüber dem Café.
Wo treffen wir uns?	das Hotel X	Am Bismarck-Denkmal.
Wo treffen wir uns?	X der Eingang	Im Hotel.

| Wo treffen wir uns? 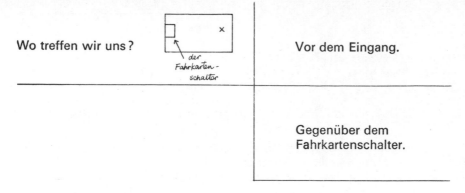 | Vor dem Eingang. |
| | Gegenüber dem Fahrkartenschalter. |

So far you have practised the pattern with **der**-words and **das**-words. The pattern with **die**-words is as follows:

> **in der** in the
> **an der** at the
> **vor der** in front of the
> **gegenüber der** opposite the
> } Kneipe

Wo treffen wir uns? *die Kunsthalle*	
Wo treffen wir uns? *die Ecke*	In der Kunsthalle.
Wo treffen wir uns? *die Telefonzelle*	An der Ecke.
Wo treffen wir uns? *die Milchbar*	Vor der Telefonzelle.
Wo treffen wir uns? *die Haltestelle*	Gegenüber der Milchbar.
	An der Haltestelle.

From now on you will find **der**-words, **die**-words and **das**-words, in random order.

Wo treffen wir uns?	*das Rathaus* ×	
Wo treffen wir uns?	*der Buchladen* ×	Vor **dem** Rathaus.
Wo treffen wir uns?	*die Oper* ×	Im Buchladen.
Wo treffen wir uns?	× *das Restaurant*	Vor der Oper.
Wo treffen wir uns?	*die Michaeliskirche* ×	Im Restaurant.
Wo treffen wir uns?	*der Supermarkt* ×	An der Michaeliskirche.
Wo treffen wir uns?	*das Rathaus* ×	Gegenüber dem Supermarkt.
Wo treffen wir uns?	*die Telefonzelle* ×	Gegenüber dem Rathaus.
Wo treffen wir uns?	*das Parkhaus* ×	Gegenüber der Telefonzelle.
		Vor dem Parkhaus.

Exercise 2

This self-correcting exercise is to give you practice in saying what you want or intend to do. See 'Wie bitte?' book 2, pages 24-25.

The first part of this exercise is based on the following two sentence patterns. Notice that the verb which describes what it is you want to do goes to the end of the sentence.

1

Wollen Sie	essen
	telefonieren

?

2

Ich will	telefonieren
	essen

The exercise works in exactly the same way as those before. Move a card down the page to reveal one box at a time. The answers to the previous box are on the right, the next dialogue is on the left.

A Nicht so laut!
Ich ———— lesen!

B Und ———— ———— singen!

A Herr Braun ist nicht hier.

B ———— wir warten?
Nein, ———— ———— beginnen.

will

ich will

A Es ist zwanzig vor acht.
———— wir gehen?

B Nein, ich ———— warten.

Wollen

wir wollen

A ———— du lesen?
Oder ———— ———— spazierengehen?

B ———— ———— fernsehen.

Wollen

will

A ———— wir tanzen?
Oder ———— Sie arbeiten?

B Ich ———— tanzen.

Willst

willst du

Ich will

Wollen

wollen

will

46

From now on the following two sentence patterns will be introduced into the exercise. The verb which describes what you want to do still goes to the end.

3

Wollen Sie	Filme	machen	?
	nach Hamburg	fahren	

4

Ich will	Filme	machen
	nach Hamburg	fahren

A ——— Sie das Hemd nehmen?

B   Ja, ich ——— das Hemd und ———
Schlips ———

A ——— wir jetzt heiraten?

B   Nein, wir ——— noch ein bisschen ———

Wollen

will/den*/nehmen
(*N.B. der Schlips
becomes den
Schlips. See 'Wie
bitte?' book 1,
page 38)

A ——— Sie mit dem Zug ———?
Oder ——— Sie fliegen?

B   Nach Wien ist es weit!
Ich ——— fliegen.

Wollen
wollen/warten

Wollen/fahren
wollen
will

From now on the following pattern is introduced into the exercise. It begins with a question word. The verb which describes what you want to do goes to the end.

5

Was		wissen
Wohin		fahren
Wie lange	wollen Sie	wegbleiben
Wann		gehen
Wo		sitzen

?

A Wo ————— Sie arbeiten?
B München ist eine schöne —————
   Ich ————— dort —————

A Wie lange ————— sie wegbleiben?
B Sie ————— sechs Wochen —————

wollen
Stadt
will/arbeiten

will
will/wegbleiben

Another sentence pattern is introduced into the exercise at this point. The verb which describes what you want to do goes to the end of the sentence.

6

Wann		in die Oper	**gehen**
Was		im Sommer	**machen**
Wie lange	wollen Sie	dort	**bleiben**
Wohin		nächste Woche	**fahren**

?

A Wann ————— Sie nach Hause fahren?
B Wir ————— gegen 11 Uhr —————

A Wie lange ————— Sie in Berlin bleiben?
B Ich ————— nur 4 Tage in Berlin —————. Aber
   in München ————— ich eine Woche —————

wollen
wollen/fahren

A Was ———— du morgen machen?	wollen
B Ich ———— in ———— Stadt fahren.	will/bleiben
	will/bleiben

A Was ———— du am Dienstag machen?	willst
B Am Dienstag ———— ich ins Kino ————	will/die

	willst
	will/gehen

From now on in the exercise, the sentence patterns are mixed.

A ———— du aufstehen?	
B Nein, ———— ———— im Bett bleiben.	

A Deutsch kann ich nicht lernen. Es ist zu schwer.	Willst
B Ja, ich ———— es auch aufgeben.	ich will

A Er fährt nach Kassel. Er ———— seine Schwester besuchen.	will
B Wie ———— ———— er dort bleiben?	
A Nicht lange. Er ———— zu Weihnachten (Christmas) in München sein.	

A Ich gehe einkaufen.	will
B Was ———— du ————?	lange will
A Ich ———— ———— Hut ————	will

	willst/kaufen
	will einen*/kaufen (*N.B. der Hut becomes einen Hut — see 'Wie
Now if possible go through the exercise again with another person, each taking a part in these dialogues.	bitte?' book 1, page 38)

28-Achtundzwanzig

Revision: how to talk about the past

SCENE A

The balcony of Innocentiastrasse 60

Peter Die Innocentiastrasse sieht sehr hübsch aus — von hier oben, nicht?

Brigitte Ja, o ja!

Peter Wo willst du sitzen? Hier? (Puts a chair down) Bitte!
(They sit) Also beginnen wir, ja? Es wird nicht so schlimm werden. (He takes out a pad and pencil) Aber wenn du nicht willst, sag bitte nein.

Brigitte Mir ist es recht. Das Interview — war es deine Idee?

Peter Ich habe es dir schon gesagt. Es war Balthoffs Idee. Er hat natürlich nicht gewusst, dass wir im selben Haus wohnen. Janos ist schon über eine Woche tot, und die Polizei hat den Mörder noch nicht gefunden. Du bist der Popstar Anneli. Es ist doch natürlich, dass Balthoff ein Interview für seine Zeitung will. Er hat mir eine Chance gegeben! Aber bitte — ich sage es noch einmal . . . Wenn du nicht willst . . . !

Brigitte Doch, doch! Wenn du es nicht bist, ist es ein anderer Reporter. Also warum nicht du? Ich werde bald eine Sensation sein.

Peter Wie meinst du das?

Brigitte Inspektor Henkel wird mich verhaften. Vielleicht heute noch. Und dann . . . Siehst du nicht schon die grosse Überschrift im Merkur? ‚Exklusiv-Interview mit Anneli von Peter Hennings.' Entschuldige Peter. Ich bin in den letzten Tagen bitter geworden.

Peter Ich verstehe, Brigitte. Im Moment bin ich nur Reporter. Also, wie lange hast du Janos gekannt? Wo hast du ihn getroffen?

Brigitte Ich habe ihn auf einer Party getroffen. Aber das weisst du!

Peter Hast du nicht gehört, was ich . . .

Brigitte Ja, Peter, ja. Aber deine Fragen sind dumm. Entschuldige. Ich habe diese Nacht nicht geschlafen! — Herr Balthoff will ein sensationelles Interview haben, und du fragst mich: Wie lange hast du Janos gekannt? Die Leute haben das schon letzte Woche gelesen. Die Leser wollen etwas Neues. Frag mich . . .

Peter Ja, Brigitte, was?

Brigitte Frag mich doch zum Beispiel: Hast du Janos getötet?

Peter Hast du Janos getötet?

Brigitte Siehst du, das ist ein guter Anfang.

Peter Du hast nicht geantwortet.

Brigitte Ich habe ihn nicht getötet.

Peter Hast du ihn geliebt?

Brigitte Nein.

Peter Und . . und hast du das Inspektor Henkel gesagt?

Brigitte Ja.

Peter Hat er dir geglaubt?

Brigitte Nein.

Peter Natürlich nicht! Warum lügst du? Warum lügst du, Brigitte?

Brigitte	Weil mein Privatleben mein Privatleben ist. Ich will nicht, dass man mich fragt und fragt.
Peter	Einen Moment, Brigitte!
	(Inspector Henkel steps out on to the balcony)
Inspector	(To Peter) Kann ich Sie einen Moment sprechen? Ach, Fräulein Schröder, ich habe Sie nicht gesehen! Bitte entschuldigen Sie!

Words and Phrases

mir ist es recht	its alright with me
dass wir im selben Haus wohnen	that we live in the same house
über eine Woche	over a week
die Polizei hat den Mörder noch nicht gefunden	the police still haven't found the murderer
(die) Überschrift	headline
ich bin bitter geworden	I've become bitter
wie lange hast du Janos gekannt?	how long did you know Janos?
auf einer Party	at a party
etwas Neues	something new
getötet	killed
ein guter Anfang	a good beginning
hast du ihn geliebt?	did you love him?
hat er dir geglaubt?	did he believe you?
lügen	lie
mein Privatleben (das)	my private life

SCENE B

The balcony of Innocentiastrasse 60

Brigitte	Guten Tag, Herr Inspektor! Wollen Sie nicht Platz nehmen?
Inspector	Nein, vielen Dank! — Herr Hennings, haben Sie heute nachmittag Zeit? (Peter nods) Ja? Gut. Kommen Sie doch um vier Uhr zum Boot, ja?
Peter	Zum Boot?
Inspector	Zum Boot von Janos. Ja! Das ist alles. Die Strasse sieht hübsch aus von hier oben.
Peter	Bleiben Sie doch ein paar Minuten.
Inspector	Danke. (Sits down) Zufälle gibt es im Leben! Ich bin so durch die Stadt gefahren, und auf einmal bin ich in der Innocentiastrasse. ,Na so was!' sage ich mir, ,Da wohnt doch der Peter Hennings!'
Brigitte	Und da sind Sie gleich gekommen und haben Herrn Hennings die Einladung persönlich überbracht.
Inspector	Ja, stimmt.
Brigitte	Und Sie haben vergessen, dass ich auch hier wohne!

Inspector	Ich habe nicht daran gedacht. Es ist sehr heiss heute, nicht?
Peter	Möchten Sie etwas trinken, Herr Inspektor?
Inspector	Haben Sie kalte Limonade?
Peter	Ja. Einen Moment. Ich bin gleich wieder da. (Leaves)
Brigitte	So. Peter ist in die Küche gegangen. Jetzt sind wir allein. Also, Herr Inspektor, was wollen Sie mir sagen?
Inspector	Ich? Nichts.
Brigitte	Warum sind Sie wirklich gekommen? Sie wollen, dass ich auch zum Boot komme, nicht? Zur Rekonstruktion des Mordes.
Inspector	Sie glauben mir nicht, Fräulein Schröder?
Brigitte	Nicht ein Wort!
Inspector	Das ist aber schade!
	(Peter comes back with a glass of lemonade)
Peter	Hier, Herr Inspektor, bitte!
Inspector	Danke. (Drinks) Ah, sehr gut. Na, jetzt muss ich wirklich gehen. Also, auf Wiedersehen Fräulein Schröder! Und wenn Sie zum Boot kommen wollen, gehen Sie doch mit Herrn Hennings. Er kennt den Weg. Sie sind ja noch nie dort gewesen! Ach, übrigens! Glauben Sie, dass Doktor Steinle zu Hause ist?
Peter	Ja. Warum?
Inspector	Ich möchte ihn sprechen. Wiedersehen! Und vielen Dank für die Limonade.

Words and Phrases

zum Boot (das)	to the boat
von hier oben	from up here
Zufälle gibt es im Leben!	the coincidences that there are in life!
gleich	at once
haben . . . überbracht	have brought
zur Rekonstruktion des Mordes	to the reconstruction of the murder
er kennt den Weg	he knows the way

PRACTICE

Exercise

This self-correcting exercise gives you practice in speaking about the past. (See 'Wie bitte?' book 2, chapters 18 and 19) It works in exactly the same way as the exercises in chapters 26 and 27. Move a card down the page to reveal one box at a time. The answers to the previous box are on the right, the next dialogue is on the left. Speak all the sentences out loud.

The first phase of the exercise practises verbs that form their past tense with **haben** in sentence patterns like:

Ich **habe** gewartet.

Hast du das gesehen?

Was **haben** Sie gemacht?

If you cannot remember the past participle of a verb, look it up in the table at the back of the book.

A ———— Sie ————? (warten) B Ja,———— ———— ————	
A Was ———— du ————? (machen) B Ich ———— ———— (arbeiten)	Haben/gewartet ich habe gewartet
A ‚Anna', habe ich ———— B Was ———— sie ————? A ‚Wie geht's?'———— sie ————	hast/gemacht habe gearbeitet
A ———— Sie ————? (tanzen) B Nein, wir ———— ———— ————	gesagt hat/gesagt hat/gefragt
A Es war sehr laut. ———— Sie ————? (schlafen) B Nein, ich ———— ———— ————	Haben/getanzt haben nicht getanzt
A Was ———— Sie ————? (machen) B Ich ———— ———— (lesen)	Haben/geschlafen habe nicht geschlafen

A ——————— Sie schöne Ferien ———————? (haben)

B Ja, ich ——————— schöne Ferien ———————

haben/gemacht

habe gelesen

A ——————— Sie im Kino ———————? (sein)

B Nein, ich ——————— ——————— im Kino ———————

Haben/gehabt

habe/gehabt

A Wohin ——————— Sie im Sommer ———————? (fahren)

B Wir ——————— nach Monte Carlo ———————

A ——————— Sie oft ins Casino ———————? (gehen)

B Ja, ——————— ——————— oft ins Casino ———————

Sind/gewesen

bin nicht/gewesen

A ——————— Sie ein neues Haus ———————? (kaufen)

B Ja, ich ——————— ein neues Haus ———————

A ——————— es viel Geld ———————? (kosten)

B Ja, es ——————— viel Geld ———————

sind/gefahren

sind/gefahren

Sind/gegangen

wir sind/gegangen

A ——————— Sie viel Deutsch ———————? (sprechen)

B Nein, ich ——————— ——————— viel Deutsch ———————. Ich ——————— Englisch ———————

Haben/gekauft

habe/gekauft

Hat/gekostet

hat/gekostet

A ——————— Sie Sonntag ———————? (arbeiten)

B Nein, wir ——————— Sonntag ———————

Haben/gesprochen

habe nicht/gesprochen

habe/gesprochen

Haben/gearbeitet

haben/nicht gearbeitet

29-Neunundzwanzig

Revision: Reported Speech

SCENE A

Steinle's room.

Steinle	Bitte nehmen Sie Platz, Peter! Warum kommen Sie so selten?
Peter	Sie wissen ja, Herr Doktor. Ich arbeite den ganzen Tag.
Steinle	Ja, natürlich. Übrigens, ich habe Ihr Interview mit Brigitte gelesen. Gut, sehr gut.
Peter	Ja . . . und die Sache mit Brigitte und Janos. Das ist nicht so schön, was?
Steinle	Sehr, sehr unangenehm. Übrigens, sind Sie mir böse?
Peter	Böse? Natürlich nicht. Warum denn?
Steinle	Brigitte ist mir böse. Ich habe ihr geraten, dass sie der Polizei alles sagt.
Peter	Und darum ist sie Ihnen böse?
Steinle	Da war noch etwas anderes.
Peter	Herr Doktor, glauben Sie, dass Brigitte Janos ermordet hat?
Steinle	Brigitte hat mich das auch gefragt. Ich habe geantwortet, dass ich es nicht glaube.
Peter	Wissen Sie, dass ich auch unter Verdacht stehe?
Steinle	Sie? Sie, Peter? Ich verstehe überhaupt nichts mehr.
Peter	Es ist möglich, dass die Polizei Brigitte und mich verhaftet. Heute noch.
Steinle	Sie auch? Aber warum denn?
Peter	Der Inspektor glaubt, dass ich Brigitte geholfen habe. Das ist natürlich Unsinn. Er glaubt auch, dass ich gelogen habe. Das ist kein Unsinn. Ich habe gesagt, dass Brigitte und Janos nicht befreundet waren. Aber ich weiss, dass Brigitte und Janos gute Freunde waren.
Steinle	Ja, ja . . .
Peter	Was haben Sie dem Inspektor gesagt?
Steinle	Nicht viel. Keine Angst, Peter! Ich habe ihm gesagt, dass ich am fünften Mai bei Freunden war. Dass ich an dem Abend spät nach Hause gekommen bin. Was noch? Ja . . . Dass ich ein alter Mann bin, und dass Brigitte eine junge Frau ist.
Peter	Ja, ich verstehe.
Steinle	Darf ich Ihnen einen Rat geben? Hoffentlich sind Sie mir nicht böse. Sagen Sie der Polizei alles, was Sie wissen. Hören Sie? So helfen Sie Brigitte am besten!
Peter	Sie glauben, dass Brigitte unschuldig ist.
Steinle	Ja! Und Sie, Peter, was glauben Sie?
Peter	Ich? Ja, sehen Sie, Herr Doktor, ich . . .
	(A knock. Peter goes to door, opens it)
Peter	Guten Tag, Frau Kranz!
Steinle	Frau Kranz, bitte kommen Sie doch herein!
Frau Kranz	Ah, Sie haben Besuch! Entschuldigen Sie!
Peter	Ich muss leider gehen. Ich habe eine Verabredung mit einem Mann. Er sagt, dass er eine sehr wichtige Information hat. Wiedersehen, Frau Kranz. Wiedersehen Herr Doktor!

	(Peter leaves)
Frau Kranz	Es tut mir leid, dass ich . . .
Steinle	Aber Frau Kranz! Peter ist froh, dass Sie gekommen sind. Gerade im richtigen Moment!

Words and Phrases

selten	seldom
den ganzen Tag	the whole day
unangenehm	unpleasant
ich habe ihr geraten, dass sie der Polizei alles sagt	I advised her to tell the police everything
ermordet	murdered
Brigitte hat mich das auch gefragt	Brigitte has asked me that too
dass ich auch unter Verdacht stehe	that I am also under suspicion
dass die Polizei Brigitte und mich verhaftet	that the police will arrest Brigitte and me
geholfen	helped
dass ich gelogen habe	that I lied
dass Brigitte und Janos nicht befreundet waren	that Brigitte and Janos weren't friends
keine Angst!	don't be afraid!
bei Freunden	with friends
an dem Abend	that evening
unschuldig	innocent

SCENE B

	Steinle's room.
Steinle	Na, Frau Kranz, was wollen Sie mir sagen?
Frau Kranz	Ja, also . . . Es ist mir sehr peinlich . . . Ich will Sie etwas fragen . . .
Steinle	Über Fräulein Schröder, nicht?
Frau Kranz	Ja. Wissen Sie, ob Fräulein Schröder hier noch lange wohnen will?
Steinle	Nein, ich weiss es nicht. Warum fragen Sie?
Frau Kranz	Die Polizei war hier. Zwei—, dreimal. Das ist sehr, sehr unangenehm. Ich bin sicher, dass Fräulein Schröder nichts Böses getan hat. Aber die Polizei in meinen Haus! — Nein, Herr Doktor, das gefällt mir nicht! Ich möchte gern, dass sie bald geht.
Steinle	Warum kündigen Sie ihr nicht?
Frau Kranz	Nein, das kann ich nicht tun. Herr Doktor, ist Inspektor Henkel auch bei Ihnen gewesen?
Steinle	Ja, er hat mit mir gesprochen.
Frau Kranz	Bei mir war ein Detektiv. Eine ganze Stunde lang. Er hat gefragt und gefragt.
Steinle	Was wollte er wissen?
Frau Kranz	Alles, einfach alles. Er hat gefragt, ob Brigitte Schröder bei mir wohnt. Eine dumme Frage, nicht? Dann hat er gefragt, ob sie die Miete pünktlich bezahlt.
Steinle	Ein sehr intelligenter Detektiv! Und was noch?
Frau Kranz	Was noch? Er hat gefragt, ob Fräulein Schröder viele Freunde hat. Ob sie viel Besuch hat. Und dann . . . dann . . .

Steinle	Janos?
Frau Kranz	Ja. Er hat gefragt, ob Janos oft ins Haus gekommen ist.
Steinle	Und was haben Sie gesagt?
Frau Kranz	Ich habe gesagt, dass ich ihn nur einmal gesehen habe. Ein hübscher junger Mann! Ach, es ist schrecklich traurig. Und das Schlimmste ist, dass die Polizei unser Fräulein Schröder verdächtigt!
Steinle	Aber Frau Kranz!
Frau Kranz	Doch, doch! Sie haben das nicht gewusst. Die Polizei glaubt, dass Fräulein Schröder Janos erschossen hat.
Steinle	Können Sie das glauben?
Frau Kranz	Nein, aber—aber schliesslich . . . Was weiss ich von Fräulein Schröder? Nichts, gar nichts.
Steinle	Was wissen Sie von mir, Frau Kranz?
Frau Kranz	Aber Herr Doktor, das ist doch etwas anderes.
Steinle	Wirklich? Wenn die Polizei Sie fragt, ob ich ein Mörder bin? Was sagen Sie dann?
Frau Kranz	Dann sage ich: unmöglich! Mein Instinkt sagt mir, ob ein Mensch ein Verbrecher ist oder nicht.
Steinle	Und bei Fräulein Schröder — was sagt Ihr Instinkt da?
Frau Kranz	Sie mögen Fräulein Schröder sehr, nicht? Ja, sehen Sie . . . Es war ein Eifersuchtsmord, nicht? Janos war ein sehr hübscher junger Mann, und eine Frau hat ihn aus Liebe erschossen. (A knock on the door) Einen Moment! (Steinle opens it)
Steinle	Brigitte! Bitte kommen Sie herein!
Frau Kranz	(Getting up) Ach, Fräulein Schröder!
Brigitte	Da sind Sie ja, Frau Kranz!
Frau Kranz	Wollten Sie mich sprechen?
Brigitte	Ja. Ich . . . ich muss Ihnen leider kündigen.
Steinle	Bitte nehmen Sie doch Platz! (Frau Kranz sits down. Brigitte and Steinle remain standing)
Brigitte	Danke, ich muss gleich wieder weg. Es ist möglich, dass man mich heute verhaftet.
Frau Kranz	Aber Fräulein Schröder, das ist doch . . . ich meine . . .
Brigitte	Ich weiss nicht, ob Inspektor Henkel mich verhaftet. Es ist möglich. Wenn er mich verhaftet, brauche ich keine Wohnung mehr.
Frau Kranz	Bitte sagen Sie das nicht! Das ist ja schrecklich!
Brigitte	Wenn er mich nicht verhaftet, fahre ich nach Spanien. Ich habe eine gute Filmrolle bekommen. Der Film beginnt in einem Monat. Inzwischen mache ich Ferien.
Frau Kranz	Das ist sehr vernünftig.
Brigitte	Nicht wahr? Also gut. Inspektor Henkel wartet auf mich. Ich spreche Sie heute abend, Herr Doktor, ja? Wiedersehen! (Brigitte leaves)
Steinle	Na, Frau Kranz?

Words and Phrases

wohnen	live
dass Fräulein Schröder nichts Böses getan hat	that Fräulein Schröder hasn't done anything wrong

in meinem Haus	in my house
warum kündigen Sie ihr nicht?	why don't you give her notice?
bei mir war ein Detektiv	a detective was here
.wohnt	lives
ob sie viel Besuch hat	whether she has many visitors
das Schlimmste	the worst
erschossen	shot
aber schliesslich!	but in the end!
mein Instinkt sagt mir	my instinct tells me
(der) Eifersuchtsmord	murder out of jealousy
ein Verbrecher (das)	criminal
dass man mich heute verhaftet	that I'll be arrested today
brauche	need
keine Wohnung (die)	no flat
wartet auf mich	is waiting for me

PRACTICE

Exercise

This exercise is devised to give you practice in reported speech. (See chapter 24)

Remember 1 If you want to report a statement (e.g. **Er ist müde**) you say:

Er		
Sie	sagt,	dass er müde ist
Sie	sagen,	

The verb always goes to the end.

2 If you want to report a question which begins with a verb (e.g. **Ist er müde?**) you say:

Er		
Sie	fragt,	ob er müde ist
Sie	fragen,	

The verb always goes to the end.

3 If you want to report a question which begins with a question word (e.g. **Wann kommt sie?**) you say:

Er		
Sie	fragt,	wann sie kommt
Sie	fragen,	

The verb goes to the end.

Other question words are: **wie, wo, was, wann, wie lange.**

If the original speaker uses **ich** or **wir** in his or her sentence, remember that in reported speech this will change. The form of the verb will change too.

Original sentence	**Ich gehe**	nach Hause
	Wir gehen	

Reported speech

Er			**er**		**geht**
Sie	sagt,	dass	**sie**	nach Hause	
Sie	sagen,		**sie**		**gehen**

If the speaker addresses others with **Sie** e.g. **Sind Sie müde?** the **Sie** also becomes **er** or **sie** (singular or plural) in reported speech.

Imagine you are witnessing the following conversations. Report what is being said. The exercise works in exactly the same way as those in chapters 26 - 28. Move a card down the page revealing one box at a time. The answers to the previous box are on the right, the next dialogue is on the left. Speak all the completed sentences aloud.

Conversation 1

Frau Weiss: Louise hat ein neues Kleid.	
Frau Schwarz: Louise hat einen neuen Hut.	Frau Weiss sagt, dass Louise ein neues Kleid hat.
Frau Weiss: Sie ist hübsch.	Frau Schwarz sagt, dass Louise einen neuen Hut hat.
Frau Schwarz: Ist sie nett?	Frau Weiss sagt, dass sie hübsch ist.
Frau Weiss: Sie ist sehr nett.	Frau Schwarz fragt, ob sie nett ist.
Frau Schwarz: Ist sie intelligent?	Frau Weiss sagt, dass sie sehr nett ist.

Frau Weiss: Sie ist intelligent.	Frau Schwarz fragt, ob sie intelligent ist.
Frau Schwarz: Wann heiratet sie?	Frau Weiss sagt, dass sie intelligent ist.
Frau Weiss: Sie heiratet am ersten Mai.	Frau Schwarz fragt, wann sie heiratet.
Frau Schwarz: Wie heisst ihr Mann?	Frau Weiss sagt, dass sie am ersten Mai heiratet.
Frau Weiss: Er heisst Karl Müller.	Frau Schwarz fragt, wie ihr Mann heisst.
Frau Schwarz: Ist er sympathisch?	Frau Weiss sagt, dass er Karl Müller heisst.
Frau Weiss: Er ist sehr sympathisch.	Frau Schwarz fragt, ob er sympathisch ist.
Frau Schwarz: Hat er viel Geld?	Frau Weiss sagt, dass er sehr sympathisch ist.
Frau Weiss: Er hat sehr, sehr viel Geld.	Frau Schwarz fragt, ob er viel Geld hat.
Frau Schwarz: Louise hat Glück!	Frau Weiss sagt, dass er sehr, sehr viel Geld hat.
Frau Weiss: Das ist wahr!	Frau Schwarz sagt, dass Louise Glück hat.
	Frau Weiss sagt, dass das wahr ist.

Conversation 2

Herr Weiss: Wo waren Sie letzte Woche?	
Waren Sie wieder in Italien?	Herr Weiss fragt, wo er letzte Woche war.
Herr Schwarz: Ich war wieder in Messina.	Er fragt, ob er wieder in Italien war.
Wir haben dort eine Fabrik. (factory)	Herr Schwarz sagt, dass er wieder in Messina war.
Herr Weiss: Was machen Sie?	Er sagt, dass sie dort eine Fabrik haben.
Herr Schwarz: Wir machen Schreibmaschinen.	Herr Weiss fragt, was sie machen.
Herr Weiss: Das ist sehr interessant!	Herr Schwarz sagt, dass sie Schreibmaschinen machen.
Wie gross ist die Fabrik?	Herr Weiss sagt, dass das sehr interessant ist.
Herr Schwarz: Wir haben 600 Leute.	Er fragt, wie gross die Fabrik ist.
Herr Weiss: Wie heisst die Schreibmaschine?	Herr Schwarz sagt, dass sie 600 Leute haben.
Herr Schwarz: Sie heisst ‚Traviata'.	Herr Weiss fragt, wie die Schreibmaschine heisst.
Die kleine ‚Traviata' ist leicht.	Herr Schwarz sagt, dass sie ‚Traviata' heisst.

Sie ist billig.	Er sagt, dass die kleine ‚Traviata' leicht ist.
Sie ist sehr zu empfehlen !	Er sagt, dass sie billig ist.
Herr Weiss: Ich kenne die Marke nicht.	Er sagt, dass sie sehr zu empfehlen ist.
Herr Schwarz: Die ‚Traviata' ist ein grosser Erfolg.	Herr Weiss sagt, dass er die Marke nicht kennt.
	Herr Schwarz sagt, dass die ‚Traviata' ein grosser Erfolg ist.

30-Dreissig

Revision: Giving reasons

SCENE A

The balcony of Innocentiastrasse 60. The Inspector lights Brigitte's cigarette.

Brigitte	Danke.
Inspector	Sie rauchen zu viel. Schlecht für die Stimme.
Brigitte	Ich weiss.
Inspector	Sie sind nervös! (Brigitte nods) Warum?
Brigitte	Weil ich ein nervöser Mensch bin.
Inspector	Das ist interessant!
Brigitte	Peter hat mir von Hermann erzählt.
Inspector	(Laughs) Ach, Hermann . . .!
Brigitte	Warum lachen Sie?
Inspector	Weil ich Hermann nicht glaube. Er lügt. Glauben Sie, dass Harry Delgarno der Mörder ist?
Brigitte	Werden Sie heute den Mörder verhaften?
Inspector	Ich hoffe sehr!
Brigitte	Wissen Sie schon, wer der Mörder ist?
Inspector	Nein, noch nicht. Warum haben Sie Ihre Sachen gepackt?
Brigitte	Weil ich frei bin, oder? Ich will . . . (The Inspector hands Brigitte a letter) Was ist das?
Inspector	Ein anonymer Brief.
Brigitte	(Reads) ‚Janos war ein Erpresser'.
Inspector	Haben Sie den Brief geschrieben?
Brigitte	Natürlich nicht!
Inspector	Es ist doch möglich!
Brigitte	Es ist unmöglich! Ich habe schliesslich verheimlicht, dass Janos mich erpresst hat. Ich habe gelogen.
Inspector	Wissen Sie vielleicht, wer den Brief geschrieben hat?
Brigitte	Ja. Der Mörder. Diesen Brief hat der Mörder geschrieben.
Inspector	Wieso glauben Sie das?
Brigitte	Sie suchen ein Motiv für den Mord. Hier ist ein Motiv! Erpressung! Der wirkliche Mörder hatte ein ganz anderes Motiv. Und nun will er die Polizei auf die falsche Spur führen. Es gibt noch andere Motive für Mord, nicht?
Inspector	Das habe ich nicht vergessen.
Brigitte	Aber Sie haben mich die ganze Zeit verdächtigt!
Inspector	Erpressung ist ein sehr starkes Motiv, Fräulein Schröder, nicht?
Brigitte	Ja. Aber ich kann nicht töten. Mehrere hatten ein Motiv, aber nur einer konnte töten.
Inspector	Einer oder eine? Ein Mann oder eine Frau?

Words and Phrases

die Stimme	the voice
weil ich Hermann nicht glaube	because I don't believe Hermann
er lügt	he's lying

Ihre Sachen	your things
ein anonymer Brief	an anonymous letter
ich habe schliesslich verheimlicht	after all, I concealed
dass Janos mich erpresst hat	that Janos blackmailed me
ich habe gelogen	I lied
auf die falsche Spur führen	send on a false trail
Sie haben mich verdächtigt	you suspected me
ein sehr starkes Motiv	a very strong motive
mehrere	several

PRACTICE

This exercise works exactly like those in chapters 26 - 29. Move a card down the page to reveal one box at a time. Base your answers on the notes for programme 21 on pages 6 and 7.

In **weil**-sentences the verb stands at the . . .

One of the sentences below is in correct German. Which one?

   a Weil ich habe kein Bier.
   b Weil ich kein Bier habe.

end

One of the sentences shown below is in correct German. Which one?

   a Weil ich spiele sehr gut Klarinette.
   b Weil ich sehr gut Klarinette spiele.

b Weil ich kein Bier habe.

Using the words given, construct a **weil**-sentence.

———— die Reise ————

——— ——— ———

(weil, zu, teuer, ist, viel)

b Weil ich sehr gut Klarinette spiele.

Using the words given, construct a **weil**-sentence.

———— er mit dem Zug ————

——— ———

(Berlin, nach, weil, fährt)

Weil die Reise viel zu teuer ist.

Using the words given, construct a **weil**-sentence.

———— wir ——— ———

——— ———

(Kino, weil, ins, Sonntag, gehen)

Weil er mit dem Zug nach Berlin fährt.

Answer the question with a **weil**-sentence.
    Warum gehst du ins Bett?
    (Ich bin sehr müde.)
	Weil wir Sonntag ins Kino gehen.

Answer the question with a **weil**-sentence.
    Warum fahren Sie mit dem Taxi ins Büro?
    (Mein Auto ist kaputt.)
	Weil ich sehr müde bin.

When the **weil**-sentence is in the past tense, the forms of the verb **haben** or **sein** go right to the end of the sentence.
The following examples are taken from Scene B in chapter 21.
    Weil Sie geschlafen **haben**.
    Weil ich zu faul gewesen **bin**.
Which word goes next-to-last in a **weil**-sentence when it is in the past tense?
	Weil mein Auto kaputt ist.

One of the sentences below is in correct German. Which one? a Weil ich einen Brief geschrieben habe. b Weil ich habe einen Brief geschrieben. c Weil ich einen Brief habe geschrieben. d Weil ich habe geschrieben einen Brief.	The past participle.
One of the sentences shown below is in correct German. Which one? a Weil er ist mit dem Zug gefahren. b Weil er mit dem Zug ist gefahren. c Weil er mit dem Zug gefahren ist. d Weil er ist gefahren mit dem Zug.	a Weil ich einen Brief geschrieben habe.

Answer the question with a **weil**-sentence.
    Warum sind Sie nach Hamburg gefahren?
    (Ich habe dort eine Fabrik gekauft.)
	c Weil er mit dem Zug gefahren ist.

Answer the question with a **weil**-sentence.
 	
    Warum sind Sie am Sonntag nicht zum Tennis gekommen?
 	
    (Ich bin lieber im Bett geblieben.)
	Weil ich dort eine Fabrik gekauft habe.

Using the words given, construct a **weil**-sentence.
 	
    —————— mein Mann zu ——————
    ———— ———— ————
 	
    (weil, hat, Bier, viel, getrunken)
	Weil ich lieber im Bett geblieben bin.

Using the words given, construct a **weil**-sentence.
 	
    —————— meine Frau mit mir ——————
    ———— ———— ————
 	
    (ist, ins, gegangen, weil, Kino)
	Weil mein Mann zu viel Bier getrunken hat.

	Weil meine Frau mit mir ins Kino gegangen ist.

Anneli's song—'Wie bitte?'

Was hast du gedacht,
als du zum ersten Mal
mir in die Augen sahst
           so frech und klug?
Als ich tat so kühl
und war doch fasziniert
von deinem unverschämten
           Charme.

Hast wohl gleich gewusst,
dass ich dich lieben könnte,
wenn ich auch kalt dir sagte:
           ‚Wie bitte?'

Du warst nicht schön,
und du warst nicht mein Typ,
und doch warst du, was ich mir erträumte.
Es kam eine Zeit,
ach, die war wunderbar,
warum konnte es nicht so bleiben?

Was hast du gedacht,
als du zum letzten Mal
mir in die Augen sahst
           so kalt und fern?

Als ich tat so kühl,
als wär es mir egal—
dir ruhig sagte:
           ‚Bitte!'

Du hast nichts gewusst
von Tränen, die ich weinte,
als du gegangen warst, auf immer.
Als mein Traum zerrann
vom langen Glück mit dir.
So war das Glück nur kurz.
           Na bitte!

Key to exercises

CHAPTER 21

Answers
Weil ich keine Zeit habe.
Weil ich müde bin.
Weil ich es eilig habe.
Weil ich kein Geld habe.
Weil ich gelaufen bin.
Weil er gekommen ist.
Weil ich keinen Hunger hatte.
Weil ich gelesen habe.
Weil Sie nicht angerufen haben.

CHAPTER 22

1 Er geht in die Oper.
2 Sie setzt sich auf das Motorrad.
3 Er stellt das Bier auf den Tisch.
4 Sie setzt den Hut auf den Kopf.
5 Er legt die Beine auf den Stuhl.
6 Er schiebt das Auto in die Garage.
7 Sie fährt in den Graben.

CHAPTER 23

Exercise 1

Answers
Ja, wenn ich kann.
Ja, wenn sie klein sind.
Ja, wenn sie süss sind.
Ja, wenn Sie laufen.
Ja, wenn ich Geld habe.
Ja, wenn die Band gut ist.
Ja, wenn ich Zeit habe.
Ja, wenn Sie können.
Ja, wenn es sein muss.
Ja, wenn es heiss ist.
Ja, wenn sie einfach sind.
Ja, wenn es billig ist.
Ja, wenn Sie pünktlich sind.
Ja, wenn Sie wollen.

Exercise 2

1 Ja, wenn er schick ist!
2 Ja, wenn es elegant ist!
3 Ja, wenn er Stil hat!
4 Ja, wenn er nicht zu klein ist!
5 Ja, wenn sie passen!
6 Ja, wenn es nicht zu teuer ist!
7 Ja, wenn er gross genug ist!
8 Ja, wenn es sein muss!

CHAPTER 24

Exercise 1

1 You: Sie sagt, dass er billig ist.
2 You: Er hat gesagt, dass es kaputt ist.
3 You: Sie sagt, dass es zu laut ist.
4 You: Er hat gesagt, dass es langweilig ist.
5 You: Er sagt, dass sie schwer ist.

Table of verbs

	Infinitive	Present Tense
A	abbiegen	ich biege ab
(den Mantel)	abnehmen	nehme. . . ab
	abstellen	stelle ab
	sich ändern	ändere mich
	anbieten	biete an
	anfassen	fasse an
	annähen	nähe an
	anrufen	rufe an
	antworten	antworte
	arbeiten	arbeite
	atmen	atme
(das Studium)	aufgeben	gebe auf
	auflegen	lege auf
	aufmachen	mache auf
	aufräumen	räume auf
	aufstehen	stehe auf
	auftreten	trete auf
	auspacken	packe aus
	aussehen	sehe aus
	aussteigen	steige aus
	sich ausziehen	ziehe mich aus
B	beginnen	ich beginne
	begleiten	begleite
	bekommen	bekomme
	belästigen	belästige
	berichten	berichte
	bestellen	bestelle
	besuchen	besuche
	bezahlen	bezahle
	bleiben	bleibe
	brauchen	brauche
	bringen	bringe
D	dauern	—
	denken	ich denke
	drehen	drehe
	drucken	drucke
E	einkaufen	ich kaufe ein
	einpacken	packe ein
	einsteigen	steige ein
	empfehlen	empfehle
	entscheiden	entscheide
	sich entschuldigen	entschuldige **mich**
	entwerfen	entwerfe
	erkennen	erkenne

Present Tense	Past Tense	
er biegt ab	er ist abgebogen	to turn (vehicle)
nimmt . . . ab	hat . . . abgenommen	to take someone's coat
stellt ab	hat abgestellt	to turn off
ändert sich	hat sich geändert	to change
bietet an	hat angeboten	to offer
fasst an	hat angefasst	to touch
näht an	hat angenäht	to sew on
ruft an	hat angerufen	to call
antwortet	hat geantwortet	to answer
arbeitet	hat gearbeitet	to work
atmet	hat geatmet	to breathe
gibt auf	hat aufgegeben	to give up
legt auf	hat aufgelegt	to put down (receiver)
macht auf	hat aufgemacht	to open
räumt auf	hat aufgeräumt	to tidy up
steht auf	ist aufgestanden	to get up
tritt auf	ist aufgetreten	to appear
packt aus	hat ausgepackt	to unpack
sieht aus	hat ausgesehen	to look, to appear
steigt aus	ist ausgestiegen	to get out of (a vehicle)
zieht sich aus	hat sich ausgezogen	to take off one's clothes

er beginnt	er hat begonnen	to begin
begleitet	hat begleitet	to accompany
bekommt	hat bekommen	to get, to receive
belästigt	hat belästigt	to disturb, to bother someone
berichtet	hat berichtet	to report
bestellt	hat bestellt	to order (food)
besucht	hat besucht	to visit
bezahlt	hat bezahlt	to pay
bleibt	ist geblieben	to stay
braucht	hat gebraucht	to need
bringt	hat gebracht	to bring

es dauert	es hat gedauert	to last
er denkt	er hat gedacht	to think
dreht	hat gedreht	to turn
druckt	ist/hat gedruckt	to print

er kauft ein	er hat eingekauft	to do the shopping
packt ein	hat eingepackt	to pack
steigt ein	ist eingestiegen	to get into (a vehicle)
empfiehlt	hat empfohlen	to recommend
entscheidet	hat entschieden	to decide
entschuldigt sich	hat sich entschuldigt	to apologize
entwirft	hat entworfen	to design
erkennt	hat erkannt	to recognize

	Infinitive	**Present Tense**
	erklären	erkläre
	erlauben	erlaube
	ermorden	ermorde
	erpressen	erpresse
	erscheinen	erscheine
	erschiessen	erschiesse
	ertragen	ertrage
	erwähnen	erwähne
	erzählen	erzähle
F	fahren	ich fahre
	Auto fahren	fahre Auto
	finden	finde
	fliegen	fliege
	flirten	flirte
	fotografieren	fotografiere
	fragen	frage
	sich freuen	freue mich
G	geben	ich gebe
	gefallen	gefalle
	gehen	gehe
	geschehen	—
	gestatten	gestatte
	glauben	glaube
	gratulieren	gratuliere
H	haben	ich habe
	recht haben	habe recht
	halten	halte
	hassen	hasse
	heimzahlen	zahle heim
	heiraten	heirate
	heissen	heisse
	helfen	helfe
	hereinkommen	komme herein
	hineingehen	gehe hinein
	hören	höre
	holen	hole
I	interviewen	ich interviewe
	irren	irre

Present Tense	Past Tense	
erklärt	hat erklärt	to explain
erlaubt	hat erlaubt	to allow
ermordet	hat ermordet	to murder
erpresst	hat erpresst	to blackmail
erscheint	ist erschienen	to appear
erschiesst	hat erschossen	to shoot
erträgt	hat ertragen	to bear
erwähnt	hat erwähnt	to mention
erzählt	hat erzählt	to tell
er fährt	er ist gefahren	to go (by car)
fährt Auto	ist Auto gefahren	to drive
findet	hat gefunden	to find
fliegt	ist geflogen	to fly
flirtet	hat geflirtet	to flirt
fotografiert	hat fotografiert	to take a photo
fragt	hat gefragt	to ask
freut sich	hat sich gefreut	to be glad, to look forward
er gibt	er hat gegeben	to give
gefällt	hat gefallen	to please
geht	ist gegangen	to go
es geschieht	es ist geschehen	to happen
gestattet	hat/ist gestattet	to allow
glaubt	hat geglaubt	to believe
gratuliert	hat gratuliert	to congratulate
er hat	er hat gehabt	to have
hat recht	hat recht gehabt	to be right
hält	hat gehalten	to stop
hasst	hat gehasst	to hate
zahlt heim	hat heimgezahlt	to pay someone back
heiratet	hat geheiratet	to marry
heisst	hat geheissen	to be called
hilft	hat geholfen	to help
kommt herein	ist hereingekommen	to come in
geht hinein	ist hineingegangen	to enter, to go into
hört	hat gehört	to hear
holt	hat geholt	to fetch
er interviewt	er hat interviewt	to interview
irrt	hat geirrt	to be wrong, to err

	Infinitive	**Present Tense**
K	kaufen	ich kaufe
	kennen	kenne
	klingeln	klingle
	klingen	—
	kochen	koche
	kommen	komme
	können	kann
	(nicht) leiden können	kann (nicht) **leiden**
	kosten	—
	kündigen	kündige
	küssen	küsse
L	lachen	ich lache
	lächeln	lächle
	läuten	—
	laufen	laufe
	Ski laufen	laufe Ski
	leben	lebe
	legen	lege
	lernen	lerne
	lesen	lese
	lieben	liebe
	liegen	liege
	lügen	lüge
M	machen	ich mache
	meinen	meine
	merken	merke
	mitnehmen	nehme mit
	mögen	mag
	müssen	muss
N	nähen	ich nähe
	nehmen	nehme
	nennen	nenne
O		
P	probieren	ich probiere
	produzieren	produziere

Present Tense	Past Tense	
er kauft	er hat gekauft	to buy
kennt	hat gekannt	to know
klingelt	hat geklingelt	to ring
es klingt	es hat geklungen	to sound
kocht	hat gekocht	to cook
kommt	ist gekommen	to come
kann	hat gekonnt	can, to be able to
kann (nicht) leiden	(nicht) leiden gekonnt	(not to be able) to bear, to stand someone
es kostet	es hat gekostet	to cost
kündigt	hat gekündigt	to give notice
küsst	hat geküsst	to kiss
er lacht	er hat gelacht	to laugh
lächelt	hat gelächelt	to smile
es läutet	hat geläutet	to ring
läuft	ist gelaufen	to walk, run
läuft Ski	ist Ski gelaufen	to ski
lebt	hat gelebt	to live
legt	hat gelegt	to put
lernt	hat gelernt	to learn
liest	hat gelesen	to read
liebt	hat geliebt	to love
liegt	hat/ist gelegen	to lie, to be (places)
lügt	hat gelogen	to tell a lie
er macht	er hat gemacht	to make, to do
meint	hat gemeint	to mean
merkt	hat gemerkt	to notice
nimmt mit	hat mitgenommen	to take with one
mag	hat gemocht	to like
muss	hat gemusst	to have to, must
er näht	er hat genäht	to sew
nimmt	hat genommen	to take
nennt	hat gennant	to call
er probiert	er hat probiert	to try
produziert	hat produziert	to produce

	Infinitive	Present Tense
R	raten	ich rate
	rauchen	rauche
	reden	rede
	reisen	reise
	rufen	rufe
S	sagen	ich sage
	schlafen	schlafe
	scheinen	—
	schenken	schenke
	schicken	schicke
	schieben	schiebe
	schimpfen	schimpfe
	schneiden	schneide
	schreien	schreie
	schwimmen	schwimme
	segeln	segele
	sehen	sehe
	sich setzen	setze mich
	singen	singe
	sitzen	sitze
	spielen	spiele
	sprechen	spreche
	stehen	stehe
	stellen	stelle
	stören	störe
	stolpern	stolpere
	stoppen	stoppe
	stossen	stosse
	studieren	studiere
	suchen	suche
T	tanzen	ich tanze
	telefonieren	telefoniere
	tippen	tippe
	töten	töte
	tragen	trage
	treffen	treffe
	trinken	trinke
	tun	tue
U	überbringen	ich überbringe
	überholen	überhole
	umbinden	binde um
	sich unterhalten	unterhalte mich
	untersuchen	untersuche

Present Tense	Past Tense	
er rät	er hat geraten	to advise
raucht	hat geraucht	to smoke
redet	hat geredet	to speak
reist	ist gereist	to travel
ruft	hat gerufen	to call
er sagt	er hat gesagt	to say
schläft	hat geschlafen	to sleep
scheint	hat geschienen	to shine
schenkt	hat geschenkt	to give
schickt	hat geschickt	to send
schiebt	hat geschoben	to push
schimpft	hat geschimpft	to grumble
schneidet	hat geschnitten	to cut
schreit	hat geschrien	to shout
schwimmt	ist geschwommen	to swim
segelt	ist/hat gesegelt	to sail
sieht	hat gesehen	to see
setzt sich	hat sich gesetzt	to sit down
singt	hat gesungen	to sing
sitzt	hat gesessen	to sit
spielt	hat gespielt	to play
spricht	hat gesprochen	to talk, to speak
steht	hat gestanden	to stand
stellt	hat gestellt	to put
stört	hat gestört	to disturb
stolpert	ist gestolpert	to stumble
stoppt	hat gestoppt	to stop
stösst	hat gestossen	to bump
studiert	hat studiert	to be a student, to study
sucht	hat gesucht	to look for
er tanzt	er hat getanzt	to dance
telefoniert	hat telefoniert	to telephone
tippt	hat getippt	to type
tötet	hat getötet	to kill
trägt	hat getragen	to carry, to wear
trifft	hat getroffen	to meet
trinkt	hat getrunken	to drink
tut	hat getan	to do
er überbringt	er hat überbracht	to deliver
überholt	hat überholt	to overtake
bindet um	hat umgebunden	to tie on
unterhält sich	hat sich unterhalten	to talk
untersucht	hat untersucht	to examine

Infinitive	Present Tense
V	
verbieten	ich verbiete
verdächtigen	verdächtige
verdienen	verdiene
verhaften	verhafte
verheimlichen	verheimliche
vergessen	vergesse
verreisen	verreise
verschreiben	verschreibe
verstehen	verstehe
verzeihen	verzeihe
vorstellen	stelle vor
W	
wählen	ich wähle
warnen	warne
warten	warte
waschen	wasche
wechseln	wechsle
wegbleiben	bleibe weg
wegfahren	fahre weg
weh tun	—
weiterfahren	fahre weiter
werden	werde
wissen	weiss
wohnen	wohne
wollen	will
wünschen	wünsche
Z	
zahlen	ich zahle

Present Tense	**Past Tense**	
er verbietet	er hat verboten	to forbid
verdächtigt	hat verdächtigt	to suspect
verdient	hat verdient	to earn
verhaftet	hat verhaftet	to arrest
verheimlicht	hat verheimlicht	to conceal
vergisst	hat vergessen	to forget
verreist	ist verreist	to travel, go away
verschreibt	hat verschrieben	to prescribe
versteht	hat verstanden	to understand
verzeiht	hat verziehen	to pardon
stellt vor	hat vorgestellt	to introduce
er wählt	er hat gewählt	to choose
warnt	hat gewarnt	to warn
wartet	hat gewartet	to wait
wäscht	hat gewaschen	to wash
wechselt	hat gewechselt	to alter, change
bleibt weg	ist weggeblieben	to stay away
fährt weg	ist weggefahren	to go away
es tut weh	es hat weh getan	to hurt
fährt weiter	ist weitergefahren	to go on (vehicle)
wird	ist geworden	to become
weiss	hat gewusst	to know
wohnt	hat gewohnt	to live
will	hat gewollt	to want
wünscht	hat gewünscht	to wish
er zahlt	er hat gezahlt	to pay

Key vocabulary for comprehension scenes

Programme 21

(der) Roman	novel
(der) Held	hero
der Vorschuss	advance (payment)
nicht genug Arbeit	not enough work
weil ich nicht genug verdiene	because I don't earn enough
ich brauche	I need

Programme 22

in den Schrank	into the wardrobe
(das) Benzin	petrol
Ihre Leser	your readers
ich bin dabei gewesen	I was present
eine Lüge	a lie
ein Lügner	a liar
ein anständiger Kerl	a decent chap
eine gefährliche Frau	a dangerous woman

Programme 23

wann sind Sie angekommen?	when did you arrive?
mein einziges Kind	my only child
hat . . . verlassen	left
sie ist einfach verschwunden	she has simply disappeared
sie hat sich verliebt	she fell in love
ich verspreche es	I promise
(die) Unordnung	disorder
kennen Sie . . . ?	do you know . . . ?
arbeiten Sie schon lange hier?	have you worked here long?
brauchst du Geld?	do you need money?

Programme 24

(das) Geschäft	business
die glückliche Dame	the lucky lady
den Koffer schliessen	close the suitcase
unhöflich	impolite
du nimmst mich mit	you're taking me with you
du denkst nur an dich selbst	you're only thinking of yourself
wir haben zwei Zimmer bestellt	we've booked two rooms
ich bin mein eigener Herr	I'm my own master

Programme 25

Geschenke	presents
sie ist in dich verliebt	she's in love with you
(der) Schauspieler	actor
und was wird aus mir?	and what becomes of me?
du hast mir gesagt, dass wir heiraten	you told me we'd get married

ich bin dir Geld schuldig	I owe you money
kauf dir eine Kleinigkeit	buy yourself a little something
ich brauche Geld	I need money
(der) Erpresser	blackmailer
ein wunderbares Angebot	a wonderful offer
ich habe noch nie wirklich Theater gespielt	I've never really acted on the stage
sei doch ehrlich	be honest
(der) Wagenschlüssel	car key

Programme 26

ich brauche deinen Rat	I need your advice
erinnerst du dich an Janos?	do you remember Janos?
ein gemeiner Erpresser	a mean blackmailer
vergiss	forget
er wird immer so weiter machen	he'll go on like that
wo wohnt Janos?	where does Janos live?
sie haben von dir gesprochen	they talked about you
plötzlich habe ich Angst bekommen	suddenly I got frightened
tot	dead
er atmet	he's breathing
hilf mir packen	help me pack
umbringen	murder
in Gefahr	in danger
pass auf!	be careful!
(die) Erpressung	blackmail

Programme 27

hatte Janos Feinde?	did Janos have enemies?
Janos hat für mich gearbeitet	Janos worked for me
tüchtig	capable, efficient
warum haben Sie ihm gekündigt?	why have you given him notice?
einflussreicher Mann	an influential man
er ist einfach weggegangen	he simply left
das letzte Mal	the last time
wer hat Janos getötet?	who killed Janos?
Sie verheimlichen mir etwas	you're concealing something from me
Sie glauben, dass ich Janos ermordet habe	you think that I murdered Janos
mein Geliebter	my lover
Sie lügen alle	they're all lying
(die) Wahrheit	truth
sie ist schuld	it's her fault
hast du Janos erschossen?	did you shoot Janos?
haben Sie irgendeinen Verdacht?	have you any suspicions?
wer hat das geschrieben?	who wrote that?

Programme 28

Geschenke	presents
Anneli ist oft auf dem Boot gewesen	Anneli was often on the boat
(der) Beweis	evidence
Sie haben die ganze Zeit gelogen	you've been lying the whole time
Sie haben die ganze Wohnung demoliert	you've demolished the whole flat
wollen Sie uns verhaften?	are you going to arrest us?

Programme 29

können Sie mir versprechen, dass	can you promise me that
ich habe einen Verdacht	I have a suspicion
ein Mann hat mich angerufen	a man rang me up
Sie haben beschlossen, die Wahrheit zu sagen	you've decided to tell the truth
warum haben Sie die ganze Zeit gelogen?	why did you lie the whole time?
es klopft	a knock
plötzlich hören wir Schritte	suddenly we hear steps
zwei Schüsse	two shots
und da lag Janos	and there was Janos lying there
ich habe ihn in die Kabine gezogen	I pulled him into the cabin
ein alter Bekannter	an old acquaintance
ich bin weggelaufen	I ran away
ich will nach Spanien fahren	I want to go to Spain

Programme 30

einsam	lonely
Anneli ist an allem schuld	it's all Anneli's fault
Sie werden mir fehlen	I'll miss you
(die) Überraschung	surprise
Spanien	Spain
heiraten Sie bald	get married soon

Vocabulary

The plural form of nouns is indicated in brackets

> e.g. die Antwort (-en)   plural: die Antworten
> der Anzug (⁀e)   plural: die Anzüge

A

abbiegen to turn (vehicle)
der Abend (-e) evening
die Abendzeitung (-en) evening paper
aber but
jemandem den Mantel abnehmen
    to take someone's coat
abstellen to turn something off
ach oh, I see, really
die Adresse (-n) address
der Ärmel (-) sleeve
akademisch academic
allein alone
alles everything, all
also well, so
als nächstes next
alt old
der Amerikaner (-) American
an at, to
anbieten to offer
das Andenken (-) souvenir
sich ändern to change
anderer, andere, anderes other
anders different
der Anfang (⁀e) beginning
anfassen to touch
die Angst (⁀e) fear
annähen to sew on
anrufen to phone
ans to the, against the
die Ansichtskarte (-n) picture postcard
anstrengend strenuous
die Anstrengung (-en) strain, exertion
die Antwort (-en) answer
antworten to answer
der Anzug (⁀e) suit
der Apfel (⁀) apple
die Apotheke the chemist's
der Appetit appetite
der April April
die Arbeit (-en) work
arbeiten to work
arm poor
die Armbanduhr (-en) wristwatch
arrogant arrogant
der Artikel (-) article
atmen to breathe
auch too, also

auf on, at
aufgeben to give up
auflegen to put down (receiver)
aufmachen to open
aufräumen to clear up
die Aufregung (-en) excitement
aufstehen to get up
auftreten to appear (on stage)
das Auge (-n) eye
der August August
aus made of, out of
auspacken to unpack
aussehen to look, to appear
aussteigen to get out (of a vehicle)
(sich) ausziehen to take off, to get un-
    dressed
das Auto (-s) car
Auto fahren to drive a car
der Autohändler car dealer

B

die Bahn railway
der Bahnhof (⁀e) station
die Bahnhofshalle (-n) station con-
    course
bald soon
die Bank (-en) bank
Bayern Bavaria
die Bedeutung (-en) significance
befreundet sein to be friends
beginnen to begin
begleiten to accompany
bei at, near, with
beide both
das Bein (-e) leg
das Beispiel (-e) example
bekommen to get, to receive
bekannt known
belästigen to bother, to trouble
    someone
die Beleidigung (-en) insult
berichten to report, to tell
der Beruf (-e) profession
besonderer, besondere, besonderes
    special
bestellen to order (food)

bestimmt definite (ly)
besser better
der **Besuch** (-e) visit, visitor
besuchen to visit
das **Bett** (-en) bed
das **Bier** beer
billig cheap
bis to, as far as, until
ein bisschen a bit
bitte please
das **Blatt** (¨er) leaf, page
blau blue
bleiben to stay
blond blond
der **Bodensee** Lake Constance
das **Boot** (-e) boat
böse angry
die **Bratwurst** (¨e) a fried sausage
brauchen to need
braun brown
breit wide, broad
das **Brötchen** (-) roll
der **Brief** (-e) letter
die **Briefmarke** (-n) stamp
die **Brille** (-n) pair of spectacles
bringen to bring
das **Brot** (-e) bread, loaf
der **Bruder** (¨) brother
das **Buch** (¨er) book
der **Buchladen** (¨) bookshop
das **Büro** (-s) office
die **Bundesstrasse** (-n) trunk road

D
da there
dahin there, over there
die **Dame** (-n) lady
danke thank you, thanks
dann then
dass that
dauern to last
dein your (familiar form)
denken an to think of
das **Denkmal** (¨er) memorial
deprimiert depressed
Deutschland Germany
der **Dezember** December
dick fat
der **Dienstag** Tuesday
diskret discreet
der **Dom** (-e) cathedral
der **Donnerstag** Thursday
dort there
dort drüben over there
die **Dose** (-n) tin
dumm stupid
dunkel dark

draussen outside
drehen to turn
dringend urgent
dritte third
du you (familiar form)
dünn thin
durch through

E
die **Ecke** (-n) corner
das **Ei** (-er) egg
eilig in a hurry
ein a, one
der **Einbrecher** (-) burglar
der **Eindruck** impression
einfach simple
der **Eingang** (¨e) entrance
einkaufen to do the shopping
einmal once
ein paar a few
einpacken to pack
einsteigen to get into (a vehicle)
die **Eisenbahn** (-en) railway
empfehlen to recommend
das **Ende** end
endlich finally
entlang along
entscheiden to decide
sich entschuldigen to apologize
enttäuscht disappointed
entwerfen to design
er he
die **Erbse** (-n) pea
das **Erdgeschoss** ground floor
die **Erfahrung** (-en) experience
der **Erfolg** (-e) success
erkennen to recognize
erklären to explain
erlauben to allow
ermorden to murder
ernst serious
erpressen to blackmail
erscheinen to appear
erschiessen to shoot
erst first
ertragen to bear
erwähnen to mention
erwarten to expect
erzählen to tell
es it
etwas something
etwas Neues something new

F
fahren to go (by car, train etc.)
der **Fahrkartenschalter** (-) ticket office

falsch wrong

die Falte (-n) wrinkle

fantastisch fantastic

faul lazy

der Februar February

der Feinkostladen (¨) grocer's, delicatessen

das Fenster (-) window

die Ferien (plural) holiday(s)

der Fernsehapparat (-e) television set

das Fernsehen television

der Fernsehturm television tower

fertig ready, finished

das Feuer (-) a light, fire

feurig fiery

die Figur figure

finden to find

der Fisch (-e) fish

die Flasche (-n) bottle

das Fleisch meat

fleissig industrious

fliegen to fly

flirten to flirt

der Flughafen (¨) airport

das Flugzeug (-e) aeroplane

der Flur hall

die Form (-en) shape

die Fotografie (-n) photograph

fotografieren to take a photograph

das Fräulein (-) young lady, Miss

fragen to ask

die Frau (-en) woman, wife

frei free

der Freitag Friday

sich freuen to be glad, to look forward to

der Freund (-e) friend (male)

die Freundin (-nen) friend (female)

froh glad

fröhlich glad, happy

die Frucht (¨e) fruit

früh early

der Führer (-) guide

für for

der Fuss (¨e) foot

der Fussball football

G

die Gage (-n) fee (actor's, artiste's)

ganz quite

die Garderobe wardrobe (clothes)

der Gast (¨e) guest

geben to give

der Gefallen favour

gefallen to please

das Gegenteil opposite, contrary

gegenüber opposite

das Geheimnis (-se) secret

gehen to go

die Geige (-n) violin

das Geld money

gemütlich cosy, nice

genau exact

das Genie (-s) genius

genug enough

geradeaus straight on

gern willingly, I'd love to

die Geschichte (-n) story

das Gesicht (-er) face

gestattet allowed, permitted

gestern yesterday

gesund well, healthy

das Glas (¨er) glass

glatt straight (e.g. hair)

glauben to believe

gleich immediately

gleichfalls the same to you, you too

das Glück luck

gnädige Frau madam

das Gold gold

gratulieren to congratulate

gross big

grün green

gründlich thorough(ly)

der Gruss (¨e) greeting

gut good, well

H

das Haar hair

haben to have

der Hafen (¨) harbour

die Hafenrundfahrt (-en) trip round harbour

halb half

halten to halt, stop

die Haltestelle (-n) stop (bus, tram)

die Hand (¨e) hand

hart hard

hässlich ugly

der Hauptbahnhof (¨e) main station

der Haupteingang (¨e) main entrance

das Haus (¨er) house

heimzahlen to pay someone back

heiraten to marry

heiss hot

heissen to be called

helfen to help

das Hemd (-en) shirt

der Herbst autumn

herein ! come in !

hereinkommen to come in

der Herr (-en) gentleman

herrlich marvellous, fine, wonderful

der Herzanfall heart attack

heute today

heute abend tonight, this evening
heute morgen this morning
heute nachmittag this afternoon
heute nacht tonight
hier here
hier hinein in here
hineingehen to go into (e.g. a room)
hinter behind, at the back
hoch high
hochinteressant highly interesting
hören to hear
hoffentlich I hope
holen to fetch
hübsch pretty
der Hummercocktail (-s) lobster cocktail
hungrig hungry
der Hypochonder (-) hypochondriac

I

ich I
die Idee (-n) idea
ihn him
Ihnen you, to you
Ihr your
immer always
in in
indiskret indiscreet
ins into the
interessant interesting
interviewen to interview
inzwischen in the meantime
irgendwo somewhere
irren to be wrong, to err
das Irrenhaus (⁻er) lunatic asylum
Italien Italy

J

ja yes
die Jacke (-n) jacket
das Jahr (-e) year
der Januar January
jawohl yes indeed
jeder, jede, jedes each, every
jemand somebody
jetzt now
das Joghurt yoghourt
der Juli July
jung young
der Junge (-n) boy
der Juni June

K

kalt cold
der Käse (-) cheese

der Kaffee coffee
die Kaffeekanne (-n) coffee pot
die Karte (-n) ticket, card
die Karriere career
die Kartoffel (-n) potato
der Kartoffelsalat potato salad
die Kasse (-n) cash desk, till
kaufen to buy
kein not a
kennen to know
der Kilometer (-) kilometre
das Kino (-s) cinema
der Kiosk (-e) booth, kiosk
klar clear
die Klarinette (-n) clarinette
das Klavier piano
das Kleid (-er) dress
klein small
klingeln to ring
klingen to sound
klug clever
die Kneipe (-n) pub
der Knopf (⁻e) button
kochen to cook
Köln Cologne
der Koffer (-) trunk
komfortabel comfortable
komisch funny
kommen to come
die Königin (-nen) queen
können to be able to
der Kopf head
kosten to cost
die Küche (-n) kitchen
kündigen to give notice
küssen to kiss
die Küste (-n) coast
der Kugelschreiber (-) biro
die Kur treatment, cure
kurz short
der Kurzschluss (-) short circuit

L

der Laden (⁻) shop
lachen to laugh
lächeln to smile
lächerlich ridiculous
läuten to ring
die Lampe (-n) lamp
lang long
langsam slow
die Laufbahn career
laufen to walk, to run
das Leben life
leben to live
legen to put
leicht easy

(nicht) leiden können (not to be able) to bear, to stand someone
leider unfortunately
lernen to learn
lesen to read
letzter, letzte, letztes last
das Licht light
lieb nice, good
lieben to love
lieber, liebe, liebes dear
lieber rather
liegen to lie, to be (geographical sense)
links left
die Liste (-n) list
der Liter (-) litre
lockig curly
das Lokal (-e) restaurant, bar, pub, etc.
lügen to lie
der Lümmel (-) lout
lustig gay

M
machen to make, to do
das Mädchen (-) girl
der März March
der Mai May
der Mann (¨er) man
der Mantel (¨) coat
die Mark mark (German coin)
die Marke (-n) brand, stamp
der Markt (¨e) market
die Marmelade marmalade, jam
die Medizin medicine
das Meer (-e) sea
mehr more
mein my
meinen to mean
der Mensch (-en) person, man
das Messer (-) knife
mich me
die Miete (-n) rent
die Milch milk
die Milchbar milk bar
die Minute (-n) minute
mir me, to me
mit with
mitnehmen to take with one
die Mitte middle, centre
mitten in in the middle of
der Mittwoch Wednesday
mögen to like
möglich possible
der Mörder (-) murderer
der Monat (-e) month
der Montag Monday
der Mord (-e) murder

der Morgen (-) morning
morgen tomorrow
morgen früh tomorrow morning
das Motorrad (¨er) motor-bike
müde tired
München Munich
müssen must, to have to
der Mund (¨er) mouth
das Muster (-) pattern
mysteriös mysterious

N
nach Hause home
nach (Italien) to
der Nachmittag (-e) afternoon
die Nachricht (-en) piece of news
nächster, nächste, nächstes next
die Nacht (¨e) night
nackt naked
nähen to sew
die Nähe vicinity
näher nearer, closer
nah near
der Name (-n) name
der Narr (-en) fool
die Nase (-n) nose
natürlich of course
neben next to
nebenan next door
nehmen to take
nein no
nennen to call
neu new
die Nerven (plural) nerves
nervös nervous, on edge, irritable
nett nice
nicht not
nichts nothing
nichts Böses nothing wrong
nie never
noch einmal once again
noch nicht not yet
nördlich north
der Norden north
nötig necessary
der November November
nun well, now

O
oben up there, upstairs, above
der Ober (-) waiter
das Obst fruit
oder or
östlich east
oft genug often enough
ohne without

das Ohr (-en) ear
der Oktober October
der Onkel (-) uncle
die Ordnung order

P

das Paket (-e) packet, parcel
das Papier paper
der Parkplatz (¨e) car park
die Pause (-n) break, rest
die Perücke (-n) wig
der Pfennig (-e) smallest unit of
    German currency
das Pfund pound
das Plakat (-e) poster
der Plan (¨e) plan
der Platz (¨e) square
  plötzlich suddenly
die Polizei police
das Portemonnaie (-s) purse
die Post post, mail, post-office
die Praline (-n) chocolate (praline)
der Preis (-e) price
  prima splendid
das Privatleben private life
  probieren to try
  produzieren produce
das Prozent (-e) per cent
das Publikum audience, public
  pünktlich in time, punctual
der Punkt (-e) spot, full stop

Q

der Quatsch rubbish, nonsense

R

das Radio radio
die Rasierklinge (-n) razor blade
der Rat advice
  raten to advise
das Rathaus (¨er) town hall
  rauchen to smoke
  rauf upstairs
  raus out
  recht haben to be right
  rechts right
der Redakteur (-e) editor
  reden to talk
die Reise (-n) journey
das Reisebüro (-s) travel agency
  reisen to travel
der Revolutionär (-e) revolutionary
der Rhythmus rhythm
  richtig correct
die Rolle (-n) part

die Ruhe peace, quiet
  rufen to call
die Rundreise (-n) round trip
  runter down
der Russe (-n) Russian

S

die Sache (-n) thing
  sagen to say, tell
die Sahnesauce creamsauce
der Salat (-e) lettuce
der Samstag Saturday
  sauber clean
  sauer sour
das Schach chess
  schade ! pity !
die Schallplatte (-n) gramophone
  scheinen to shine
  schick smart, chic
  schieben to push
  schimpfen to grumble
  schlafen to sleep
der Schlafwagen (-) sleeping car
das Schlafzimmer bedroom
die Schlagsahne whipped cream
  schlank slim
  schlecht bad
  schliesslich in the end, finally
  schlimm serious, bad
der Schlips (-e) tie
der Schlüssel (-) key
  schmal narrow
der Schmerz (-en) pain
  schneiden to cut
  schnell fast, quick
  schön lovely, beautiful
die Scholle (-n) plaice
  schon already
  schrecklich terrible
  schreien to shout
der Schritt (-e) step
die Schürze (-n) apron
der Schuh (-e) shoe
die Schulter (-n) shoulder
  schwarz black
das Schwarzbrot blackbread
das Schweinefleisch pork
das Schweinskotelett pork chop
  schwer heavy
die Schwester (-n) sister
  schwimmen to swim
der Schwindel swindle
der See (-n) lake
  segeln to sail
  sehen to see
  sehr very
  sein to be

sein his
die Seite (-n) page
ich selbst, du-, er- I myself (etc.)
selbstverständlich of course
selten seldom
der September September
sich setzen to sit down
sie she
Sie you
das Silber silver
singen to sing
sitzen to sit
Ski laufen to ski
so like this, so
sofort at once
der Sohn (¨e) son
der Sonnabend Saturday
die Sonne sun
das Sonnenöl sun tan oil
der Sonntag Sunday
sonst otherwise
die Sorte (-n) sort
spät late
spielen to play
sprechen to talk, to speak
die Stadt (¨e) town
der Stadtbummel a wander around the
    town
stehen to stand
stellen to put
der Stil (-e) style
die Stimme (-n) voice
stören to disturb
die Störung disturbance, interruption
stolpern to stumble
stoppen to stop
stossen to bump
die Strasse (-n) street
die Strassenbahn (-en) tram
das Streichholz (¨er) match
der Streifen (-) stripe
das Studentenhaus students' club
das Stück (-e) piece, play
studieren to be a student, to study
das Studium studies, time at a university
der Stuhl (¨e) chair
suchen to look for
der Süden South
südlich south
die Suppe soup
süss sweet
sympathisch nice

T

der Tabak tobacco
der Tag day
die Taille waist

die Tankstelle (-n) petrol station
die Tante (-n) aunt
tanzen to dance
die Tasche (-n) handbag, pocket
das Taschentuch (¨er) handkerchief
die Tasse (-n) cup
das Taxi (-s) taxi
der Tee tea
das Telefon (-e) telephone
der Telefonanruf (-e) phone call
telefonieren to 'phone
die Telefonzelle (-n) telephone box
der Termin (-e) date
teuer expensive
tief deep
tippen type
der Tisch (-e) table
das Tischtennis table-tennis
die Tochter (¨) daughter
die Toilette (-n) lavatory
toll (here:) super
das Tor (-e) goal, gate
tot dead
töten to kill
die Tournee tour
tragen to carry, to wear
der Traum (¨e) dream
treffen to meet
trennen to separate
trinken to drink
die Trompete (-n) trumpet
die Tür (-en) door
die Tüte (-n) paper bag
tun to do, to make

U

die U-Bahn underground (railway)
über over, via, about
überbringen to deliver
überholen to overtake
übermorgen the day after tomorrow
die Überschrift (-en) headline
übrigens by the way
um around, about, at (of time)
umbinden to tie on
unangenehm unpleasant
unbedingt at all costs
und and
und so weiter (u.s.w.) etc.
unerhört unheard of
der Ungar (-n) Hungarian
unglaublich unbelievable
die Universitätsbibliothek university
    library
uns us
unschuldig innocent
der Unsinn rubbish

unten down, down there, below
sich unterhalten to talk, chat
untersuchen to examine

V

die Vase (-n) vase
der Vater (⸚) father
die Verabredung (-en) appointment
verboten forbidden
der Verbrecher (-) criminal
der Verdacht suspicion
verdächtig suspicious
verdächtigen to suspect
verdienen to earn
vergessen to forget
das Vergnügen (-) pleasure
verhaften to arrest
verheimlichen to conceal
das Vermögen (-) fortune
vernünftig reasonable
verpassen to miss
verreisen to go on a journey
verrückt crazy
verschreiben to prescribe
verstehen to understand
der Verwandte (-n) relative
verzeihen to pardon
viel much
vielleicht perhaps
das Viertel quarter
vom of the, from the
von of, from
vorbei over
vorgestern the day before yesterday
vorher before
vorn at the front
der Vorschlag (⸚e) suggestion
vorsichtig careful
die Vorspeise (-n) hors d'oeuvre, first
    course
vorstellen to introduce
der Vortrag (⸚e) lecture

W

wach awake
wählen to choose
die Wahl choice
wahr true
die Wahrheit truth
die Wand (⸚e) wall
warnen to warn
warten to wait
warten auf to wait for
warum why
was what
was für what kind of
waschen to wash
das Wasser water

wechseln to alter, change
der Weg (-e) way
weg gone, away
wegbleiben to stay away
wegfahren to go away
weh tun to hurt
weich soft, weak
weil because
der Wein (-e) wine
die Weinstube (-n) wine-bar
weiss white
das Weissbrot (-e) white bread
weit far
weiterfahren to go on (in a vehicle)
welcher, welche, welches which
wenig few, little
wenn if, when
wer who
werden to become
westlich west
Westdeutschland West Germany
das Wetter weather
wichtig important
wie how
wie lange how long
wieder again
wieso why
wieviel how much
willkommen welcome
wir we
wirklich really
wissen to know
wo where
die Woche (-n) week
wohin where to
wohnen to live
die Wohnung (-en) flat
das Wohnzimmer (-) living room
wollen to want
worüber about what
wünschen to wish
wunderschön very beautiful
wunderbar wonderful
der Wunsch (⸚e) wish
die Wurst (⸚e) sausage
das Würstchen Frankfurter

Z

zahlen to pay
die Zeit (-en) time
die Zeitung (-en) newspaper
die Zigarette (-n) cigarette
das Zimmer (-) room
zu to the
zuerst first, first of all
der Zufall (⸚e) coincidence
zufrieden pleased, satisfied
zurück back